Entliczek pentliczek

Agata Christie

Entliczek pentliczek

przełożyła
Aleksandra Ambros

Wydawnictwo Dolnośląskie

Rozdział I

Herkules Poirot zmarszczył brwi.

– Panno Lemon – powiedział.

– Słucham, *monsieur* Poirot?

– W tym liście są trzy błędy.

W jego głosie brzmiało niedowierzanie. Panna Lemon bowiem, ta szkaradna i kompetentna kobieta, nigdy nie robiła błędów. Nigdy nie była chora, nigdy zmęczona, nigdy zdenerwowana, nigdy niedokładna. Innymi słowy, z praktycznego punktu widzenia, nigdy nie była kobietą. Była maszyną – sekretarką doskonałą. Wiedziała wszystko, ze wszystkim dawała sobie radę. Kierowała życiem Herkulesa Poirota, tak że ono również funkcjonowało jak maszyna. Hasłem Herkulesa Poirota od wielu lat były porządek i metoda. Dzięki George'owi, lokajowi doskonałemu, oraz pannie Lemon, sekretarce doskonałej, porządek i metoda rządziły niepodzielnie jego życiem. Teraz, kiedy wypiekano nie tylko okrągłe, ale także kwadratowe placuszki, nie miał absolutnie żadnych powodów do narzekań.

Tymczasem dzisiejszego ranka panna Lemon zrobiła trzy błędy przy przepisywaniu najprostszego pod słońcem listu i, co więcej, nawet tych błędów nie zauważyła. Gwiazdy zatrzymały się w swoim biegu.

Herkules Poirot pokazał jej rzeczony dokument. Nie był zły, był po prostu zdumiony. Nic takiego nie miało prawa się wydarzyć – a jednak się wydarzyło.

Panna Lemon wzięła list. Popatrzyła nań. Po raz pierwszy w życiu Poirot zobaczył, że się zarumieniła: ciemny, brzydki, nietwarzowy rumieniec zabarwił jej oblicze aż po korzonki gęstych siwawych włosów.

– Ojej – powiedziała. – Nie potrafię wyjaśnić, jak... chociaż owszem. To z powodu mojej siostry.

– Pani siostry?

Kolejny szok. Poirotowi nigdy nie przyszło do głowy, że panna Lemon ma siostrę. Jak również, skoro już o tym mowa, że mogłaby mieć ojca, matkę czy nawet dziadków. Panna Lemon tak dalece przypominała produkt fabryczny, precyzyjny instrument – by tak rzec – że podejrzewanie jej o jakieś uczucia, zmartwienia, rodzinne kłopoty, wydawało się czystym absurdem. Wiadomo było, że panna Lemon poza godzinami pracy całym sercem i umysłem oddawała się doskonaleniu nowego systemu klasyfikowania akt, który miał zostać opatentowany pod jej nazwiskiem.

– Pani siostry? – powtórzył więc Herkules Poirot z nutką niedowierzania w głosie.

Panna Lemon energicznie skinęła głową.

– Tak – odparła. – Chyba nigdy panu o niej nie wspominałam. Prawie całe życie spędziła w Singapurze. Jej mąż zajmował się tam interesami.

Herkules Poirot ze zrozumieniem pokiwał głową. Wydało mu się właściwe, że siostra panny Lemon większość życia spędziła w Singapurze. Po to istniały takie miejsca jak Singapur. Siostry kobiet z gatunku panny Lemon wychodziły za biznesmenów w Singapurze, tak aby panny Lemon tego świata mogły z precyzją mechanizmu zajmować się sprawami swoich pracodawców (i oczywiście obmyślaniem systemów klasyfikowania akt w chwilach wytchnienia).

– Pojmuję – powiedział. – Proszę kontynuować.

– Cztery lata temu została wdową. Nie mieli dzieci. Kiedy wróciła do Londynu, udało mi się załatwić jej bardzo miłe mieszkanko z komornym w granicach rozsądku.

(Oczywiście pannie Lemon musiała się udać ta prawie niemożliwa do załatwienia rzecz).

– Jest nieźle sytuowana, choć pieniądze nie mają już tej wartości co dawniej, ale siostra nie ma ekstrawaganckich wymagań i przy rozsądnym gospodarowaniu powinno jej wystarczyć na wygodne życie.

Panna Lemon zrobiła pauzę, po czym ciągnęła dalej:

– Tyle że, mówiąc prawdę, czuła się samotna. Długo nie mieszkała w Anglii, nie miała dawnych znajomych i przyjaciółek, no i oczywiście miała masę wolnego czasu. Tak więc kilka miesięcy temu powiedziała mi, że myśli o przyjęciu tej posady.

– Tej posady?

– Przełożonej, chyba tak to się nazywa, czy gospodyni w domu dla studentów. Jest on własnością pewnej kobiety, półkrwi Greczynki, która chciała, żeby ktoś jej to poprowadził, zajął się zaopatrzeniem i dopilnował, aby wszystko szło jak należy. Jest to staroświecki obszerny dom na Hickory Road, jeśli pan wie, gdzie to jest. – Poirot nie wiedział. – Kiedyś była to dość elegancka dzielnica i domy są solidnie zbudowane. Siostra miała dostać bardzo miłe pomieszczenie, sypialnię, salonik i maleńką łazienkę wraz z kuchenką dla siebie...

Panna Lemon przerwała. Poirot chrząknął zachęcająco. Jak dotąd, nic w opowieści nie zapowiadało katastrofy.

– Sama nie byłam pewna, czy to jest najsłuszniejsza decyzja, ale dostrzegałam siłę argumentów mojej siostry. Nigdy nie należała do ludzi, którzy lubią siedzieć cały dzień z założonymi rękami, jest kobietą bardzo praktyczną, dobrą organizatorką, poza tym nie myślała przecież inwestować w to pieniędzy ani o niczym podobnym. Było to po prostu płatne zajęcie, z niewysoką pensją, ale na tym jej nie zależało, nie wchodziła też w grę żadna ciężka praca fizyczna. Zawsze bardzo lubiła młodzież i umiała z nią postępować, a spędziwszy tyle czasu na Wschodzie rozumie różnice rasowe i to, że ludzie są czuli na tym punkcie. Bo w tym pensjonacie mieszkają studenci różnych narodowości, przeważnie Anglicy, ale nicktórzy z nich, jak rozumiem, kolorowi.

– Naturalnie – wtrącił Herkules Poirot.

– Połowa pielęgniarek w naszych szpitalach dzisiaj jest czarna – dodała panna Lemon niepewnie. – Podobno są o wiele milsze i troskliwsze od Angielek. Ale to nie ma nic do rzeczy. Omówiłyśmy ten projekt gruntownie i siostra przeprowadziła się do tego domu. Żadnej z nas nie spodobała się specjalnie właścicielka, pani Nicoletis, osoba o bardzo nierównym usposobieniu, czasami czarująca, a czasami, przykro mi to mówić, wręcz przeciwnie, przy tym jednocześnie i skąpa, i niepraktyczna. Gdyby jednak umiała sobie sama dać radę, nie potrzebowałaby pomocy. Moja siostra nie należy do ludzi, którzy przejmują się cudzymi humorami i dziwactwami. Potrafi stawić czoło każdemu i nie cierpi niedorzeczności.

Poirot przytaknął. W tej charakterystyce siostry panny Lemon dostrzegał niejakie podobieństwo do „swojej" panny Lemon: pannę Lemon, którą nieco złagodziły małżeństwo i klimat Singapuru, niemniej kobietę z takim samym twardym rdzeniem zdrowego rozsądku.

– Zatem siostra przyjęła tę posadę? – zapytał.

– Tak, wprowadziła się na Hickory Road 26 jakieś sześć miesięcy temu. W sumie lubiła swoją pracę i uważała ją za interesującą.

Herkules Poirot słuchał. Jak dotąd, przygoda siostry panny Lemon nie sprawiała wrażenia mrożącej krew w żyłach.

– Jednak od pewnego czasu siostra się bardzo martwi. Bardzo poważnie się martwi.

– Dlaczego?

– Widzi pan, *monsieur* Poirot, nie podoba jej się to, co się tam dzieje.

– Tam są studenci i studentki? – delikatnie zapuścił sondę Poirot.

– Ach nie, *monsieur* Poirot, nie o to mi chodzi! Zawsze jest się przygotowanym na kłopoty tego rodzaju, można ich oczekiwać! Nie, widzi pan, zaczęły ginąć pewne przedmioty.

– Ginąć?

– Tak. I to dziwne przedmioty. I wszystkie w dość niezwykły sposób.

– Mówiąc, że ginęły przedmioty, ma pani na myśli, że zostały ukradzione?

– Tak.

– Czy zawiadomiono policję?

– Nie. Na razie nie. Siostra ma nadzieję, że może nie będzie to konieczne. Bardzo lubi tych młodych ludzi – to znaczy niektórych – i raczej wolałaby sama wyjaśnić sprawę.

– Tak – powiedział Poirot w zamyśleniu. – Doskonale to mogę zrozumieć. Ale to nie tłumaczy, jeżeli pani pozwoli, pani niepokoju, który, jak się domyślam, jest odzwierciedleniem niepokoju pani siostry.

– Nie podoba mi się ta sytuacja, *monsieur* Poirot. Zupełnie mi się nie podoba. Trudno mi oprzeć się wrażeniu, że dzieje się coś, czego nie rozumiem. Żadne zwyczajne wytłumaczenie nie wyjaśnia wszystkich faktów, a naprawdę nie potrafię sobie wyobrazić, jak można by je inaczej wytłumaczyć.

Poirot kiwał głową w zamyśleniu.

Piętą achillesową panny Lemon była zawsze wyobraźnia. Nie posiadała jej za grosz. W sferze faktów była niezwyciężona. W sferze domysłów traciła grunt pod nogami. Obcy był jej stan umysłów ludzi Corteza na szczycie Darien.

– Nie chodzi o zwyczajną drobną kradzież? Może jakiś kleptoman?

– Nie przypuszczam. Przeczytałam, co piszą na ten temat – powiedziała skrupulatna panna Lemon – w *Encyclopaedia Britannica* i w pewnym dziele medycznym. Nie przekonało mnie to.

Herkules Poirot milczał przez półtorej minuty.

Czy miał ochotę zajmować się kłopotami siostry panny Lemon oraz namiętnościami i zmartwieniami wielojęzycznego domu studenckiego? Irytujące byłoby jednak i bardzo niewygodne, gdyby panna Lemon nadal popełniała błędy przy przepisywaniu jego listów. Powiedział sobie, że jeśli miałby się angażować, to jedynie z tego powodu. Nie przyznawał się sam przed sobą, że ostatnio dosyć się nudził i że pociągała go właśnie błahość sprawy.

– „Pietruszka wtapiająca się w masło w gorący dzień" – mruknął pod nosem.

– Pietruszka? Masło? – panna Lemon wyglądała na zbitą z tropu.

– Cytat z jednego z waszych klasyków – odparł. – Niewątpliwie znane są pani przygody, nie mówiąc już o wyczynach Sherlocka Holmesa.

– Chodzi panu o te towarzystwa z Baker Street i tym podobne – wykrzyknęła panna Lemon. – Dorośli mężczyźni zajmujący się takimi głupstwami! Ale to właśnie typowe dla mężczyzn. Jak te elektryczne kolejki, którymi potrafią się bawić bez końca. Nie mogę powiedzieć, żebym kiedykolwiek miała czas na przeczytanie którejś z tych historii. Kiedy mam czas na czytanie, co zdarza się nieczęsto, wolę książkę doskonalącą umysł.

Herkules Poirot skinął głową z wdziękiem.

– Co pani na to, panno Lemon, żebyśmy zaprosili tu pani siostrę na jakiś stosowny poczęstunek, może poobiednią herbatkę? Mógłbym może służyć jej skromną pomocą.

– To bardzo uprzejmie z pana strony, *monsieur* Poirot. Naprawdę bardzo uprzejmie. Siostra jest zawsze wolna po południu.

– W takim razie, powiedzmy jutro, jeśli zechce to pani zorganizować.

W odpowiednim czasie wierny George otrzymał polecenie, aby podać kwadratowe placuszki obficie polane masłem, harmonizujące kształtem kanapki oraz inne odpowiednie składniki wystawnego angielskiego podwieczorku.

Rozdział II

Siostra panny Lemon, której nazwisko brzmiało pani Hubbard, zdecydowanie przypominała sekretarkę Poirota. Miała co prawda cerę o znacznie bardziej żółtawym odcieniu, była tęższa, miała wymyślniejszą fryzurę i mniej energiczny sposób bycia, ale oczy, które patrzyły z jej okrągłej i miłej twarzy, były równie przenikliwe jak te, które błyskały zza pince-nez jej siostry.

– To naprawdę niezwykle uprzejmie z pana strony, *monsieur* Poirot – powiedziała. – Niezwykle uprzejmie. I co za wspaniały podwieczorek. Nie ulega wątpliwości, że zjadłam już o wiele więcej niż powinnam – no, może jeszcze tylko jedną kanapkę. A co do herbaty – no, może jeszcze tylko pół filiżanki.

– Najpierw – oświadczył Poirot – wzmocnimy nasze siły, a potem przejdziemy do interesu.

Uśmiechnął się do niej życzliwie i podkręcił wąsa. Pani Hubbard zauważyła:

– Muszę przyznać, że wygląda pan dokładnie tak, jak sobie pana wyobrażałam z opisu Felicity.

Uświadomiwszy sobie po chwili zaskoczenia, że Felicity to imię surowej panny Lemon, Poirot odpowiedział, że nie spodziewałby się niczego innego, znając dokładność swojej sekretarki.

– Naturalnie – ciągnęła z roztargnieniem pani Hubbard, biorąc drugą kanapkę – Felicity nigdy nie interesowała się ludźmi. Ja natomiast bardzo. Dlatego tak się martwię.

– Czy pani mogłaby wyjaśnić mi dokładnie, czym się pani martwi?

– Owszem. Nie byłoby w tym nic dziwnego, gdyby ginęły pieniądze, niewielkie sumy, od czasu do czasu. Podobnie, gdyby chodziło o biżuterię, sprawa też byłaby jasna – to znaczy, nie tyle jasna, wręcz przeciwnie, ale dałaby się wytłumaczyć kleptomanią czy nieuczciwością. Pozwoli pan jednak, że przeczytam listę zaginionych przedmiotów, jaką sporządziłam.

Otworzyła torebkę i wyjęła notesik.

– Pantofelek wieczorowy (jeden z nowej pary)
– Bransoletka (sztuczna biżuteria)
– Pierścionek z brylantem (odnaleziony w talerzu z zupą)
– Puderniczka
– Szminka
– Stetoskop
– Kolczyki
– Zapalniczka
– Stare spodnie flanelowe
– Żarówki
– Bombonierka
– Jedwabna apaszka (odnaleziona pocięta na kawałki)
– Plecak (j.w.)
– Kwas borny
– Sól do kąpieli
– Książka kucharska

Herkules Poirot wciągnął głęboko powietrze.

– Niezwykłe – oświadczył – i absolutnie fascynujące.

Był zachwycony. Przeniósł wzrok z surowej, pełnej dezaprobaty twarzy panny Lemon na życzliwą, zatroskaną twarz pani Hubbard.

– Gratuluję pani – powiedział ciepło do tej ostatniej.

– Ależ czego, *monsieur* Poirot?

– Gratuluję pani tak niezwykłego i pięknego problemu do rozwiązania.

– Może pan widzi w tym jakiś sens, *monsieur* Poirot, ale...

– W tym nie widać w ogóle żadnego sensu. Przypomina mi to najbardziej grę, do udziału w której namówili mnie ostatnio, podczas świąt, moi młodzi przyjaciele. Nazywała się, o ile pomnę, Trzyroga Dama. Każdy z uczestników po kolei wypowiadał następujące zdanie: „Pojechałem do Paryża i kupiłem”, tu wymieniał jakiś przedmiot. Następna osoba to powtarzała, dodając kolejny przedmiot, a cała gra polegała na zapamiętaniu we właściwym porządku wyliczonych przedmiotów, przy czym niektóre z nich były wręcz absurdalne i humorystyczne. Znajdowały się tam, jak pamiętam, m.in. kawałek mydła, biały słoń, stół z opuszczanym blatem i kaczka piżmowa. Zapamiętanie utrudniał oczywiście fakt, że przedmioty były całkowicie ze sobą niepowiązane, ich brak ciągłości, by tak rzec. Jak na tej liście, którą mi pani właśnie pokazała. Po osiągnięciu liczby, powiedzmy, dwunastu przedmiotów, stawało się niemożliwe wyszczególnienie ich we właściwym porządku. Uczestnik zabawy, który się pomylił przy wyliczaniu, otrzymywał papierowy róg i swoją kolejną wypowiedź musiał zaczynać od słów: – Ja, jednoroga dama, pojechałam do Paryża... itd. – Po otrzymaniu trzech rogów wypadało się z gry, a ostatni, który pozostał, był zwycięzcą.

– Założę się, że pan był zwycięzcą, *monsieur* Poirot – nie miała wątpliwości panna Lemon, lojalna podwładna.

Poirot rozpromienił się.

– Rzeczywiście tak było – przyznał. – Nawet najbardziej przypadkowy zbiór przedmiotów można uporządkować, a przy odrobinie pomysłowości ułożyć je, by tak rzec, w pewien ciąg. To znaczy, można sobie w myśli powiedzieć: – Kawałkiem mydła zmywam brud z dużego, białego, marmurowego słonia, który stoi na stole z opuszczanym blatem itd.

Pani Hubbard odezwała się z szacunkiem: – Na pewno pan by potrafił tak samo ułożyć przedmioty z listy, którą panu dałam.

– Na pewno bym potrafił. Dama w prawym bucie na nodze wkłada bransoletkę na lewą rękę. Następnie aplikuje sobie puder i szminkę, schodzi na obiad i upuszcza pierścionek do zupy itd. Mógłbym w ten sposób przyswoić sobie pani listę pamięciowo, ale nie o to nam chodzi. Dlaczego został ukradziony taki przypadkowy zbiór przedmiotów? Czy kryje się za tym jakiś system? Jakaś idée fixe? Sprawą podstawową jest proces analizy. Pierwsze zadanie to przestudiować bardzo dokładnie listę przedmiotów.

W kompletnej ciszy Poirot przystąpił do studiowania. Pani Hubbard przyglądała mu się z napiętą uwagą niby mały chłopiec śledzący magika w oczekiwaniu, że oto ukaże się królik lub przynajmniej pęki kolorowych wstążek. Panna Lemon, niezainteresowana, pogrążyła się w rozmyślaniach na temat co subtelniejszych problemów klasyfikowania kartoteki.

Gdy Poirot w końcu przemówił, pani Hubbard aż podskoczyła.

– Pierwsze, co mnie uderza – zaczął – to, że ze wszystkich rzeczy, jakie zginęły, większość miała niewielką wartość, (niektóre wręcz żadnej) z wyjątkiem dwóch: stetoskopu oraz pierścionka z brylantem. Zostawmy na chwilę stetoskop na boku. Chciałbym skoncentrować się na pierścionku. Mówiła pani, że był cenny – jaką miał wartość?

– Trudno mi to dokładnie określić, *monsieur* Poirot. Był to pierścionek z pojedynczym brylantem i kilkoma drobnymi brylancikami u góry i u dołu. O ile mi wiadomo, był to zaręczynowy pierścionek matki panny Lane. Bardzo się zdenerwowała jego utratą, i doznaliśmy wszyscy prawdziwej ulgi, kiedy znalazł się tego samego wieczoru w talerzu z zupą panny Hobhouse. Uznaliśmy to po prostu za głupi żart.

– I doskonale mogłoby tak być. Osobiście jednak uważam kradzież pierścionka i jego zwrot za wydarzenie znaczące. Jeśli zginie szminka, puderniczka czy książka, nie ma podstaw do wezwania policji. Ale cenny pierścionek z brylantem to inna sprawa. Istnieje wszelkie prawdopodobieństwo, że policja zostanie wezwana. Następuje więc zwrot pierścionka.

– Ale po co brać, jeśli ma się go zwrócić? – wtrąciła panna Lemon marszcząc czoło.

– Rzeczywiście, po co – odparł Poirot. – Zostawmy jednak na chwilę pytania. Obecnie próbuję sklasyfikować te kradzieże i zacząłem od pierścionka. Kim jest owa panna Lane, której go skradziono?

– Patricia Lane? Bardzo miła dziewczyna. Chce uzyskać, no, jak to się nazywa, dyplom z historii czy archeologii, czy coś w tym rodzaju.

– Zamożna?

– Ach, nie. Ma trochę swoich pieniędzy, ale jest zawsze bardzo oszczędna. Pierścionek, jak mówiłam, należał do jej matki. Ma trochę biżuterii, ale niewiele nowych ubrań i ostatnio rzuciła palenie.

– Jak wygląda? Proszę ją opisać własnymi słowami.

– Dość nijaka z wyglądu, raczej mdła. Spokojna, dobrze wychowana, ale brak jej werwy czy życia. Można by ją określić jako typ dziewczyny poważnej.

– Pierścionek znalazł się w talerzu panny Hobhouse. Kim jest panna Hobhouse?

– Valerie Hobhouse? Inteligentna, ciemnowłosa dziewczyna, która ma zwyczaj wyrażać się dosyć ironicznie. Pracuje w zakładzie kosmetycznym „Piękna Sabrina" – pewnie pan o nim słyszał.

– Czy te dwie dziewczyny się przyjaźnią?

Pani Hubbard zastanowiła się chwilę:

– Tak mi się wydaje, owszem, choć niewiele mają ze sobą wspólnego. Patricia jest dobrze ze wszystkimi, lecz nie cieszy się jakąś szczególną popularnością. Valerie Hobhouse ma wrogów ze względu na swój cięty język, ale ma także swoją świtę, jeśli rozumie pan, co mam na myśli.

– Chyba rozumiem – odpowiedział Poirot.

A więc Patricia Lane była miła, ale nudna, a Valerie Hobhouse posiadała osobowość. Ponownie zajął się listą zaginionych przedmiotów.

– Intryguje mnie, że wszystkie wyszczególnione tu rzeczy należą do tak różnych kategorii. Z jednej strony drobiazgi, na które mogłaby się połasić dziewczyna zarazem próżna i uboga: szminka, sztuczna biżuteria, puderniczka, sól do kąpieli, ewentualnie bombonierka. Z drugiej stetoskop, który prędzej mógłby paść łupem mężczyzny, zorientowanego, gdzie go sprzedać lub zastawić. Do kogo należał?

– Do pana Batesona. To młody człowiek, duży i przyjaźnie nastawiony do ludzi.

– Student medycyny?

– Tak jest.

– Czy bardzo był zły?

– Był wręcz wściekły, *monsieur* Poirot. To jeden z tych gwałtownych charakterów – w danym momencie gotów wygadywać Bóg wie co, ale mu szybko przechodzi. Nie należy do ludzi, którym nie robi różnicy, kiedy im ktoś coś ukradnie.

– A są tacy?

– Bo ja wiem, na przykład pan Gopal Ram, jeden z naszych hinduskich studentów. Macha ręką i powiada, że dobra materialne nie mają znaczenia...

– Czy jemu coś zginęło?

– Nie.

– Aha! Do kogo należały flanelowe spodnie?

– Do pana McNabba. Były bardzo stare i każdy by uznał, że swoje już wysłużyły, ale pan McNabb jest bardzo przywiązany do swojej starej garderoby i nigdy niczego nie wyrzuca.

– Dochodzimy zatem do przedmiotów niewartych, zdawałoby się, kradzieży: stare flanelowe spodnie, żarówki, kwas borny, sole kąpielowe, książka kucharska. Kwas borny został pewnie wzięty przez pomyłkę, ktoś mógł wyjąć przepaloną żarówkę, zamierzał wkręcić nową i zapomniał, książkę kucharską po prostu ktoś pożyczył i nie oddał. Sprzątaczka mogła zabrać spodnie.

– Zatrudniamy dwie całkowicie godne zaufania sprzątaczki. Jestem przekonana, że żadna z nich nie zrobiłaby niczego podobnego bez pytania.

– Pewnie ma pani rację. Następnie mamy wieczorowy pantofelek, z nowej pary, o ile dobrze zrozumiałem? Do kogo należały te pantofelki?

– Do Sally Finch, Amerykanki, która tutaj studiuje na stypendium Fulbrighta.

– Jest pani pewna, że pantofelek po prostu się gdzieś nie zapodział? Nie pojmuję, jaki może być pożytek z jednego pantofla?

– Nigdzie się nie zapodział, *monsieur* Poirot. Przeszukaliśmy dom od góry do dołu. Widzi pan, panna Finch wybierała się na przyjęcie w, jak ona to nazywa, „formalnej" sukni – po naszemu w sukni wieczorowej – i te pantofle były jej koniecznie potrzebne, nie miała drugiej pary odpowiednich.

– Naraziło ją to na kłopot, na zdenerwowanie, tak... tak, zastanawiam się. Może w tym jest coś...

Przez chwilę milczał, po czym kontynuował:

– I jeszcze dwie sztuki: plecak pocięty na strzępy i jedwabna apaszka w takim samym stanie. Tu nie wchodzi w grę ani próżność, ani korzyść; tu mamy do czynienia z czystą złośliwością. Do kogo należał plecak?

– Prawie każdy student ma plecak, wszyscy dużo podróżują autostopem. Wiele z tych plecaków jest bardzo podobnych, kupione były w tym samym sklepie, trudno więc odróżnić jeden od drugiego. Wydaje się jednak prawie pewne, że ten właśnie plecak należał albo do Leonarda Batesona, albo do Colina McNabba.

– Pocięto także jedwabną apaszkę. Do kogo należała?

– Do Valerie Hobhouse. Dostała ją na gwiazdkę. Była koloru szmaragdowego i naprawdę w dobrym gatunku.

– Tak, panna Hobhouse, rozumiem...

Poirot przymknął oczy. W wyobraźni dostrzegał ni mniej, ni więcej, tylko kalejdoskop. Kawałki pociętych apaszek i plecaków, książki kucharskie, szminki, sole kąpielowe, imiona i miniaturowe portrety różnych studentów. Żadnej spójności czy uszeregowania. Niepowiązane wypadki i osoby wirowały w przestrzeni. Ale Poirot dobrze wiedział, że gdzieś musi być jakiś wzór. Może więcej niż jeden. Może za każdym potrząśnięciem kalejdoskopu otrzymywało się inny wzór... Problem polegał na tym, skąd zacząć... Otworzył oczy.

– Sprawa wymaga przemyślenia. Głębokiego przemyślenia.

– Och, z całą pewnością, *monsieur* Poirot – zgodziła się gorliwie pani Hubbard – z pewnością też nie chciałabym sprawiać panu kłopotu.

– Nie sprawia mi pani kłopotu. Jestem zaintrygowany. Ale podczas gdy ja oddam się rozmyślaniom, możemy rozpocząć pewne praktyczne działania. Na początek... Ten pantofelek, wieczorowy pantofelek... możemy zacząć od niego. Panno Lemon...

– Słucham, *monsieur* Poirot – panna Lemon wyrzuciła z myśli fiszki katalogowe, usiadła jeszcze bardziej prosto i machinalnie sięgnęła po notatnik i ołówek.

– Może pani Hubbard zdobyłaby dla pani pozostały pantofelek? Niech pani z nim pójdzie na stację Baker Street do biura rzeczy znalezionych. Zaginięcie nastąpiło kiedy?

Pani Hubbard zastanowiła się.

– Niestety dokładnie nie pamiętam, *monsieur* Poirot. Chyba ze dwa miesiące temu. Nie potrafię określić tego bliżej. Mogę jednak zapytać Sally Finch o datę przyjęcia.

– Dobrze. Tak więc – zwrócił się powtórnie do panny Lemon – lepiej niech pani nie będzie zbyt dokładna. Powie pani, że zostawiła pantofel w pociągu na śródmiejskiej linii metra. Albo może w autobusie? Ile autobusów jeździ w okolicy Hickory Road?

– Tylko dwa, *monsieur* Poirot.

– Dobrze. Jeśli wizyta na Baker Street nic nie da, niech pani odwiedzi Scotland Yard i powie, że pantofelek został w taksówce.

– Lambeth – poprawiła kompetentnie panna Lemon.

Poirot machnął ręką:
– Pani zawsze wie takie rzeczy.
– Ale dlaczego pan myśli... – zaczęła pani Hubbard.
Poirot przerwał jej:
– Najpierw zobaczmy, jakie będziemy mieli wyniki. Potem niezależnie od tego czy będą negatywne, czy pozytywne, musimy się z panią, pani Hubbard, ponownie spotkać. Wtedy mi pani powie o innych sprawach, o których koniecznie musimy wiedzieć.
– Myślę, że naprawdę powiedziałam panu wszystko, co mogłam.
– Nie, nie. Nie zgadzam się. Mamy zgromadzonych razem młodych ludzi o różnych temperamentach, różnej płci. A kocha B, ale B kocha C, a D i E są ze sobą na noże, niewykluczone, że z powodu A. Właśnie o tym wszystkim muszę wiedzieć. O współgraniu ludzkich uczuć, o kłótniach, zazdrości, przyjaźniach, złośliwości i nieżyczliwości.
– Naprawdę – powiedziała pani Hubbard z wyraźną przykrością – nic mi nie wiadomo o tego rodzaju sprawach. Nie utrzymuję kontaktów towarzyskich. Zarządzam domem, zajmuję się zaopatrzeniem itp.
– Ale interesują panią ludzie. Powiedziała mi to pani. Lubi pani młodzież. Wzięła pani tę pracę nie dlatego, aby była to propozycja korzystna finansowo, ale dlatego, że mogła pani mieć do czynienia z problemami ludzkimi. Znajdują się wśród studentów tacy, których pani lubi i tacy, których pani lubi mniej, albo być może wcale. Powie mi pani – o tak! – powie mi pani. Bo pani się martwi nie tym, co się dzieje – z tym mogła pani pójść na policję...
– Zapewniam pana, że pani Nicoletis nie życzyłaby sobie w domu policji.
Poirot perorował dalej, puszczając jej uwagę mimo uszu.
– Nie, pani się martwi o kogoś, kto, jak pani przypuszcza, może ponosić odpowiedzialność albo przynajmniej maczać w tym palce. Zatem o kogoś, kogo pani lubi.
– Doprawdy, *monsieur* Poirot...
– Tak, doprawdy. Uważam też, że słusznie się pani martwi. Bo ta pocięta na kawałki apaszka to nie są żarty. Porżnięty plecak to także nie są żarty. Reszta robi wrażenie dziecinady, choć nie jestem tego pewien. Nie, bynajmniej nie jestem pewien!

Rozdział III

Pokonawszy schodki z pewnym pośpiechem, pani Hubbard włożyła klucz do zamka w drzwiach wejściowych przy Hickory Road 26. W momencie kiedy drzwi się otworzyły, wysoki młody człowiek z ognistorudymi włosami wbiegł za nią po stopniach.

– Witam, mamciu – zawołał, jako że w ten właśnie sposób Len Bateson zwykle się do niej zwracał. Był życzliwie nastawiony do wszystkich, miał akcent niewykształconych londyńskich sfer i szczęśliwie żadnego kompleksu niższości. – Wypuściła się pani, co?

– Byłam u kogoś na herbacie. Nie zatrzymuj mnie teraz, jestem spóźniona.

– Krajałem dzisiaj ślicznego trupa – powiedział Len – istne cudo!

– Nie mów takich okropności, obrzydliwy chłopcze. Śliczny trup, rzeczywiście! Też pomysł! Robi mi się niedobrze, kiedy cię słucham.

Len Bateson wybuchnął śmiechem, co echo w holu powtórzyło jako „ha-ha".

– To i tak nic w porównaniu z Celią – odparł. – Zajrzałem do apteki: „Przyszedłem opowiedzieć ci o trupie", powiedziałem, a ona zbladła jak płótno. Myślałem, że zemdleje. Co pani o tym myśli, Matko Hubbard?

– Nie dziwię się – odpowiedziała. – Co za pomysł! Celia prawdopodobnie sądziła, że mówisz o prawdziwych zwłokach.

– Jak to prawdziwych? A pani myśli, że nasze trupy to jakie są? Syntetyczne?

Chudy młodzieniec o długich rozczochranych włosach wysunął się z pokoju na prawo i powiedział kąśliwie:

– Ach, to tylko ty. Myślałem, że co najmniej cały oddział żołnierzy. Głos jest głosem jednego człowieka, ale jego siła jest siłą głosów dziesięciu.

– Mam nadzieję, że ci to nie działa na nerwy?

– Nie więcej niż zwykle – odpowiedział Nigel Chapman i wrócił do pokoju.

– Nasz delikatny kwiatek – mruknął Len.

– Przestańcie wojować, wy dwaj – powiedziała pani Hubbard. – Opanowanie, oto co mi się podoba. Nie zaszkodzi też, jak jeden drugiemu czasem ustąpi.

Młody człowiek uśmiechnął się do niej czule ze swojej wysokości.

– Mnie nie przeszkadza nasz Nigel, mamciu – zapewnił.

W tej chwili schodząca z góry dziewczyna odezwała się:

– O, pani Hubbard, pani Nicoletis jest u siebie i chce panią widzieć natychmiast.

Pani Hubbard westchnęła i ruszyła schodami w górę. Wysoka, ciemnowłosa dziewczyna, która przekazała wiadomość, oparła się o ścianę, aby pozwolić jej przejść.

– O co chodzi, Valerie? – spytał Len Bateson, ściągając płaszcz. – Skargi na nasze zachowanie, które Mama Hubbard ma nam przekazać we właściwym czasie?

Dziewczyna wzruszyła szczupłymi ramionami. Zeszła ze schodów i przeszła przez hol.

– To miejsce z każdym dniem coraz bardziej przypomina dom wariatów – rzuciła przez ramię, wchodząc w drzwi po prawej stronie holu. Poruszała się z tym zuchwałym, niewymuszonym wdziękiem właściwym dziewczynom, które są zawodowymi modelkami.

Numer 26 Hickory Road składał się w istocie z dwóch bliźniaczych domów, 24 i 26. Na parterze połączono je w jeden, stąd znajdował się tam wspólny salon, duża jadalnia, dwie szatnie oraz małe biuro w głębi domu. Dwie osobne klatki schodowe prowadziły z holu na piętra, które pozostały rozdzielone. Dziewczęta zajmowały sypialnie po prawej stronie, chłopcy po lewej, w budynku pierwotnie oznaczonym numerem 24.

Pani Hubbard weszła na schody rozpinając kołnierz płaszcza. Westchnęła kierując się w stronę pokoju pani Nicoletis.

– Pewnie znów ma swoje humory – mruknęła do siebie.

Zapukała i weszła.

W saloniku pani Nicoletis było zawsze bardzo gorąco. W dużym elektrycznym kominku żarzyły się wszystkie pręty grzejnika, natomiast okno pozostawało szczelnie zamknięte. Pani Nicoletis siedziała na sofie w otoczeniu niezliczonej ilości dość brudnych jedwabnych i aksamitnych poduszek, i paliła papierosa. Była to kobieta rosła, ciemnowłosa, nadal przystojna, z ustami, które znamionowały kapryśne usposobienie, i ogromnymi brązowymi oczami.

– Ach, więc jest pani – pani Nicoletis powiedziała to w taki sposób, iż zabrzmiało jak oskarżenie.

Na pani Hubbard, wiernej krwi Lemonów, nie zrobiło to wrażenia.

– Owszem – odezwała się szorstko. – Jestem. Powiedziano mi, że chce mnie pani pilnie widzieć.

– Tak, istotnie chcę. To potworne, nie ma na to innego słowa, potworne.

– Co jest potworne?

– Te rachunki! Pani sprawozdania! – pani Nicoletis wydobyła spod poduszki plik papierów ruchem zręcznego magika. – Czym my karmimy tych nieszczęsnych studentów? Foie gras i przepiórkami? Czy to jest Ritz? Za kogo oni się uważają, ci studenci?

– Za młodych ludzi ze zdrowym apetytem – zauważyła pani Hubbard. – Dostają dobre śniadanie i przyzwoity posiłek wieczorem – proste potrawy, ale pożywne. Ekonomicznie bardzo to się opłaca.

– Ekonomicznie? Ekonomicznie? Pani mi to śmie mówić, kiedy jestem rujnowana?

– Ten dom przynosi pani bardzo poważne zyski. Opłaty są tu dość wysokie.

– Czyż jednak nie mam zawsze kompletu? Czy kiedykolwiek są wolne miejsca? Czy nie przysyła mi studentów British Council, uniwersytet londyński, ambasady, francuskie Lycée? Czy na każde wolne miejsce nie ma zawsze trzech zgłoszeń?

– W dużej mierze dzięki temu, że tutejsze posiłki są smaczne i pożywne. Młodzi ludzie muszą być odpowiednio karmieni.

– Też coś! Sumy globalne są skandaliczne. To ta włoska kucharka i jej mąż oszukują panią na zakupach.

– O nie, nie ma obawy, pani Nicoletis. Mogę panią zapewnić, że żaden cudzoziemiec nie wywiedzie mnie w pole.

– Wobec tego to pani, pani mnie okrada.

Pani Hubbard pozostała niewzruszona.

– Nie mogę pani pozwolić na mówienie podobnych rzeczy – powiedziała tonem, jakiego mogłaby użyć staroświecka niania wobec szczególnie krnąbrnego podopiecznego. – Nieładnie tak postępować i któregoś dnia narazi się pani z tego powodu na kłopoty.

– Ach! – pani Nicoletis dramatycznym gestem podrzuciła w powietrze plik rachunków, które spadając rozsypały się po całej podłodze. Pani Hubbard schyliła się i pozbierała je, ściągając usta. – Doprowadza mnie pani do szału – wołała pracodawczyni.

– Być może – odparła pani Hubbard – ale, jak pani wie, nie służy pani doprowadzenie się do takiego stanu. Ataki złości wpływają źle na ciśnienie.

– Przyznaje pani, że suma wydatków jest wyższa niż w zeszłym tygodniu?

– Oczywiście. U Lampsona był znakomity towar po obniżonej cenie. Wykorzystałam to. W następnym tygodniu sumy globalne spadną poniżej przeciętnej.

Pani Nicoletis miała niezadowoloną minę.

– Potrafi pani wszystko pięknie wytłumaczyć.

– Proszę uprzejmie – pani Hubbard położyła uporządkowany plik rachunków na stole. – Coś jeszcze?

– Ta Amerykanka, Sally Finch, mówi coś o wyjeździe. Nie chcę, żeby wyjechała. Jest stypendystką Fulbrighta. Może sprowadzić tu innych stypendystów Fulbrighta. Nie można dopuścić, żeby się wyniosła.

– Z jakiego powodu chce wyjechać?

Pani Nicoletis zgarbiła szerokie ramiona.

– Myśli pani, że pamiętam powód? W każdym razie nieprawdziwy. Zawsze to poznam.

Pani Hubbard w zamyśleniu pokiwała głową. W tym wypadku gotowa była zaufać pani Nicoletis.

– Sally nic mi nie mówiła – powiedziała.

– Ale pani z nią porozmawia?

– Tak, oczywiście.

– Jeżeli to chodzi o tych kolorowych studentów, tych Hindusów, Murzynów – oni wszyscy mogą wyjechać, rozumie pani? Segregacja rasowa to najważniejsze dla tych Amerykanów, a dla mnie liczą się Amerykanie. Co do tamtych kolorowych – wynocha!

Wykonała wymowny gest.

– Nie, dopóki ja tu zarządzam – oświadczyła chłodno pani Hubbard. – Poza tym pani się myli. Nie ma podobnych uprzedzeń wśród naszych studentów, a Sally z pewnością ani to w głowie.

Bardzo często jada obiady z panem Akibombo, a trudno o kogoś bardziej czarnego niż on.

– Wobec tego chodzi o komunistów. Pani wie, co Amerykanie myślą o komunistach. Taki Nigel Champman – to komunista.

– Wątpię.

– O tak, tak. Powinna pani słyszeć, co tu kiedyś wygadywał.

– Nigel powie, co mu ślina na język przyniesie, żeby tylko zdenerwować ludzi. Jeśli o to chodzi, jest rzeczywiście nieznośny.

– Pani zna ich tak dobrze. Kochana pani Hubbard, jest pani wspaniała! Ciągle sobie powtarzam, co bym zrobiła bez pani? Polegam na pani całkowicie. Jest pani wspaniałą, wspaniałą kobietą.

– Po kiju marchewka – zauważyła pani Hubbard.

– Co to znaczy?

– Mniejsza z tym. Zrobię, co będę mogła. Wyszła z pokoju przerywając potok podziękowań. Mrucząc pod nosem: – Marnuję tylko czas, co za irytująca kobieta – pospieszyła korytarzem do własnego saloniku.

Alc nie dane było jeszcze pani Hubbard zaznać spokoju. Kiedy weszła do siebie, wysoka postać podniosła się z fotela:

– Byłabym wdzięczna, gdyby pani zechciała poświęcić mi parę minut.

– Oczywiście, Elizabeth.

Zdziwiło to trochę panią Hubbard. Elizabeth Johnston pochodziła z Jamajki i studiowała prawo. Uczyła się pilnie, była ambitna i niesklonna do zwierzeń. Zawsze sprawiała wrażenie bardzo zrównoważonej, rzeczowej i pani Hubbard zaliczała ją do najbardziej udanych lokatorów.

Elizabeth i teraz była bardzo opanowana, ale pani Hubbard uchwyciła leciutkie drżenie w jej głosie, choć ciemne rysy nie wyrażały żadnych emocji.

– Czy coś się stało?

– Tak. Mogłaby pani pójść ze mną do mojego pokoju?

– Chwileczkę – pani Hubbard zrzuciła płaszcz i rękawiczki. Wyszły obie na korytarz i udały się schodami w górę. Pokój Elizabeth znajdował się na najwyższym piętrze. Dziewczyna otworzyła drzwi i podeszła do stołu pod oknem.

– Tutaj są moje notatki – powiedziała. – To plon kilku miesięcy ciężkiej pracy. Widzi pani, co z nimi zrobiono?

Pani Hubbard stłumiła lekki okrzyk.

Na stole rozlano atrament. Zalał wszystkie papiery, dokładnie w nie wsiąkając. Pani Hubbard dotknęła ich koniuszkiem palca. Były jeszcze mokre.

Zapytała, wiedząc, że pytanie zabrzmi głupio:

– Nie rozlałaś atramentu sama?

– Nie, zrobiono to, kiedy nie było mnie w pokoju.

– Czy sądzisz, że pani Biggs...?

Pani Biggs sprzątała pokoje na najwyższym piętrze.

– To nie pani Biggs. To nawet nie był mój atrament. Mój stoi na półce koło łóżka. Nietknięty. Ten, kto to zrobił, przyniósł atrament ze sobą. I zrobił to naumyślnie.

Pani Hubbard była wstrząśnięta:

– Jakie to podłe, jakie okrutne!

– Tak, to niéładnie.

Dziewczyna mówiła zupełnie spokojnie, ale pani Hubbard nie dała się zwieść co do rzeczywistego stanu jej uczuć.

– Naprawdę, Elizabeth, nie wiem, co powiedzieć. Jestem wstrząśnięta, do głębi wstrząśnięta i zrobię, co tylko w mojej mocy, żeby się dowiedzieć, kto dopuścił się tego podłego czynu. Nic ci nie przychodzi do głowy?

Dziewczyna odpowiedziała od razu.

– Atrament jest zielony, jak pani widziała.

– Tak, zauważyłam to.

– Nieczęsto się spotyka taki zielony atrament. Znam tu tylko jedną osobę, która go używa. Nigel Chapman.

– Nigel? Sądzisz, że Nigel zrobiłby coś podobnego?

– Nie posądzałabym go o to. Ale pisze swoje listy i notatki zielonym atramentem.

– Będę musiała zadać wiele pytań. Jest mi niezmiernie przykro, Elizabeth, że coś podobnego wydarzyło się w tym domu i mogę ci tylko powiedzieć, że zrobię wszystko, żeby tę sprawę wyjaśnić do końca.

– Dziękuję pani. Były też inne zdarzenia, prawda?

– Cóż, owszem, tak.

Pani Hubbard opuściła pokój i udała się w kierunku schodów. Zatrzymała się jednak nagle i, zamiast zejść na dół, ruszyła korytarzem do ostatnich drzwi. Zapukała. Głos panny Finch zaprosił ją do środka.

Pokój był przyjemny, jak i miła była sama Sally Finch, wesoła, rudowłosa dziewczyna.

Podniosła głowę znad bloku, w którym pisała. Policzek miała wypchany i podsuwając pani Hubbard otwarte pudełko cukierków powiedziała niewyraźnie:

– Landryny z domu. Proszę się poczęstować.

– Dziękuję, Sally. Nie teraz. Jestem dość zdenerwowana. Słyszałaś, co się wydarzyło Elizabeth Johnston?

– Co się wydarzyło Czarnej Bess?

Przydomek był pieszczotliwy i przyjmowany jako taki przez samą właścicielkę imienia.

Pani Hubbard opisała wydarzenie. Sally okazała wszelkie objawy gniewu pełnego współczucia.

– Naprawdę, co za podłość. Nie uwierzyłabym, że ktoś może zrobić coś podobnego naszej Bess. Wszyscy ją lubią. Jest spokojna, raczej nie prowadzi życia towarzyskiego i nie udziela się za bardzo, ale pewna jestem, że nie ma nikogo, kto by jej źle życzył.

– Tak mi się zdawało.

– Wszystko to razem układa się w jedną całość, prawda? Z tamtymi sprawami... Dlatego...

– Dlatego co? – zapytała pani Hubbard, ponieważ dziewczyna gwałtownie zamilkła.

Sally odpowiedziała z wolna:

– Dlatego stąd się wyprowadzam. Czy pani Nicoletis powiedziała pani?

– Tak, bardzo była tym zmartwiona. Uważała, zdaje się, że nie podałaś jej prawdziwego powodu.

– Cóż, nie podałam. Nie chciałam, żeby narobiła rabanu. Zna ją pani przecież. Ale to właśnie jest powód, wystarczający moim zdaniem. Nie wiem, co się tutaj dzieje. Coś jest w tym dziwnego, że mnie zginął pantofel, że apaszka Valerie została pocięta na kawałki, a także plecak Lena... Nawet nie chodzi o to, że ktoś coś zwędził – w końcu to może się zawsze zdarzyć, nie jest to miłe, ale względnie normalne – ale tamto normalne nie jest. Przerwała na chwilę z uśmiechem, który nagle stał się figlarny: – Akibombo bardzo się boi – wyznała. – Zawsze jest taki wyniosły i kulturalny, ale niezłe pokłady zachodnioafrykańskiej wiary w magię znajdują się tuż pod tą gładką powierzchnią.

– Też coś! – wykrzyknęła gniewnie pani Hubbard. – Uważam takie absurdalne przesądy za skończoną głupotę. Zwykła istota ludzka zachowuje się nieznośnie. Ot i cały sekret.

Usta Sally rozciągnęły się w kocim uśmiechu.

– Akcent – powiedziała – pada na słowo „zwykła". Mam wrażenie, że przebywa w tym domu ktoś, kto bynajmniej zwykły nie jest.

Pani Hubbard zeszła na dół. Skierowała się do salonu studentów na parterze. W pokoju były cztery osoby. Valerie Hobhouse, rozciągnięta na sofie, z wąskimi stopami przerzuconymi nad poręczą; Nigel Chapman, siedzący przy stole nad otwartą, grubą książką; Patricia Lane, oparta o kominek, oraz dziewczyna w płaszczu przeciwdeszczowym, która dopiero co weszła i właśnie zdejmowała wełnianą czapkę, kiedy pojawiła się pani Hubbard. Była to przysadzista blondynka z brązowymi, szeroko rozstawionymi oczyma i zawsze lekko rozchylonymi wargami, tak że robiła wrażenie wiecznie zdziwionej.

Valerie, wyjmując papierosa z ust, odezwała się wolno i leniwie:

– Cześć, mamciu, czy zaaplikowała pani łagodzący syrop tej starej diablicy, naszej szanownej właścicielce?

Patricia Lane zapytała:

– Czyżby wstąpiła na ścieżkę wojenną?

– Jak najbardziej – zachichotała Valerie.

– Zdarzyło się coś bardzo nieprzyjemnego – powiedziała pani Hubbard. – Nigel, chcę, żebyś mi pomógł.

– Ja, proszę pani? – Nigel popatrzył na nią i zamknął książkę. Jego szczupłą, złośliwą twarz rozświetlił nagle łobuzerski, ale wyjątkowo uroczy uśmiech. – Co takiego zrobiłem?

– Mam nadzieję, że nic – odparła pani Hubbard. – Ktoś umyślnie i złośliwie oblał atramentem wszystkie notatki Elizabeth Johnston. Atrament był zielony. Ty używasz zielonego atramentu, Nigel.

Patrzył na nią, a uśmiech znikał mu z twarzy.

– Tak, używam zielonego atramentu.

– Okropna ciecz – odezwała się Patricia. – Chciałabym, żebyś jej przestał używać, Nigel. Zawsze ci mówiłam, że jest to z twojej strony wyraz nieznośnej afektacji.

– Lubię zachowywać się w sposób afektowany – odpowiedział Nigel. – Myślę, że jeszcze lepszy byłby atrament liliowy. Może mi się uda gdzieś go zdobyć. Ale czy pani mówi serio, mamo? O tym zniszczeniu?

– Tak, mówię serio. Czy to ty zrobiłeś, Nigel?

– Nie, jasne, że nie. Jak pani wie, lubię denerwować ludzi, nigdy jednak nie zrobiłbym czegoś równie podłego i z pewnością nie Czarnej Bess, która nie wtrąca się w cudze sprawy, z czego powinni brać przykład inni, których mógłbym wymienić. Gdzież jest ten mój atrament? Pamiętam, że wczoraj napełniłem pióro. Zwykle trzymam go tam na półce. – Zerwał się i przeszedł przez pokój. – Oto on – uniósł butelkę i gwizdnął. – Ma pani rację. Butelka jest prawie pusta, a powinna być niemal pełna.

Dziewczyna w płaszczu przeciwdeszczowym wydała lekki okrzyk.

– O Boże – zawołała – Boże! Nie podoba mi się to...

Nigel zwrócił się do niej oskarżycielsko:

– Czy masz alibi, Celio? – zapytał z groźbą w głosie.

Dziewczyna złapała ze świstem powietrze.

– Nie zrobiłam tego. Naprawdę tego nie zrobiłam. Zresztą byłam cały dzień w szpitalu. Nie mogłabym.

– Słuchaj, Nigel – wtrąciła się pani Hubbard. – Nie dokuczaj Celii.

Patricia Lane powiedziała gniewnie:

– Nie rozumiem, czemu Nigel ma być podejrzany. Dlatego tylko, że to jego atrament?

Valerie odezwała się złośliwie:

– Słusznie, kochanie, broń swoich młodych.

– Ale to takie niesprawiedliwe.

– Ja naprawdę nie miałam z tym nic wspólnego – protestowała gorąco Celia.

– Nikt nie uważa, że miałaś, dzieciaku – przerwała niecierpliwie Valerie. – Niemniej, wie pani –jej oczy i oczy pani Hubbard spotkały się – to wszystko przestaje być zabawne. Trzeba będzie coś z tym zrobić.

– I zrobi się – odpowiedziała ponuro pani Hubbard.

Rozdział IV

– Proszę bardzo, *monsieur* Poirot.

Panna Lemon położyła przed Poirotem małą brązową paczkę. Rozwinął papier i z uznaniem przyjrzał się zgrabnemu wieczorowemu pantofelkowi srebrnego koloru.

– Był na Baker Street, tak jak pan powiedział.

– To nam oszczędziło fatygi – zauważył Poirot. – Jak również potwierdza moją koncepcję.

– Istotnie – odparła panna Lemon, z natury cudownie pozbawiona ciekawości.

Nie była jednak pozbawiona uczuć rodzinnych. Powiedziała:

– Przepraszam, jeśli zajmuję panu czas, *monsieur* Poirot, ale otrzymałam list od siostry. Nastąpiły nowe wydarzenia.

– Pozwoli pani, że przeczytam?

Wręczyła mu list, po przeczytaniu którego Poirot polecił jej, aby go połączyła telefonicznie z siostrą. Za chwilę panna Lemon uzyskała połączenie. Poirot ujął słuchawkę:

– Pani Hubbard?

– Tak jest, *monsieur* Poirot. Bardzo to uprzejmie z pana strony, że pan od razu do mnie dzwoni. Naprawdę byłam bardzo...

Poirot przerwał jej:

– Skąd pani mówi?

– Jak to? Z Hickory Road 26, oczywiście. Ach, rozumiem, o co panu chodzi. Jestem w moim prywatnym saloniku.

– Czy to jest telefon wewnętrzny?

– Tak, właśnie wewnętrzny. Główny aparat znajduje się na dole, w holu.

– Kto w domu mógłby nas podsłuchiwać?

– O tej porze nie ma nikogo ze studentów. Kucharka wyszła na zakupy. Geronimo, jej mąż, niewiele rozumie po angielsku. Jest w tej chwili sprzątaczka, ale głucha i jestem pewna, że ani by jej się śniło podsłuchiwać.

– W takim razie w porządku. Mogę mówić otwarcie. Czy macie czasami wieczorem odczyty albo filmy? Jakieś rozrywki?

– Czasami istotnie mamy odczyty. Niedawno była z kolorowymi przeźroczami panna Baltrout, ta podróżniczka. Mieliśmy także zbiórkę na dalekowschodnie misje, choć obawiam się, że wielu studentów było owego wieczoru nieobecnych.

– Hm. Dzisiejszego wieczoru nakłoni pani *monsieur* Herkulesa Poirota, pracodawcę pani siostry, żeby przyszedł i przedstawił waszym studentom co ciekawsze ze swoich przypadków.

– Bardzo to będzie miłe, z pewnością, ale czy pan myśli...

– Nie jest to kwestia myślenia. Jestem pewien!

Tego wieczoru studenci wchodzący do ogólnego salonu zobaczyli zawiadomienie na tablicy stojącej tuż przy drzwiach:

Monsieur Herkules Poirot, słynny prywatny detektyw, zgodził się uprzejmie wygłosić dzisiejszego wieczoru pogadankę na temat teorii i praktyki skutecznego wykrywania przestępstw z przytoczeniem historii pewnych głośnych zbrodni.

Komentarze były różne: – Co to za „prywatne oko"? – Nigdy o nim nie słyszałam. – A ja tak. Kiedyś jakiegoś faceta skazali na śmierć za zamordowanie sprzątaczki i ten detektyw uratował go w ostatniej chwili, odkrywając prawdziwego mordercę. – Moim zdaniem to jakaś bzdura. – Przeciwnie, może być dobra zabawa. – Colinowi powinno się to podobać. Ma bzika na punkcie psychologii kryminalnej. – Niezupełnie tak bym to ujął, ale nie przeczę, że warto zadać parę pytań komuś, kto dobrze zna kryminalistów.

Kolację podawano o wpół do ósmej. Większość studentów siedziała już przy stołach, kiedy pani Hubbard nadeszła z własnego saloniku (gdzie dostojny gość został poczęstowany kseresem) w towarzystwie niskiego starszego pana. Odznaczał się on podejrzanie czarnym wąsem imponujących rozmiarów, którego z upodobaniem podkręcał.

– Oto niektórzy z naszych studentów, *monsieur* Poirot. A to jest *monsieur* Herkules Poirot, który uprzejmie się zgodził wygłosić dla nas pogadankę po kolacji.

Wymieniono powitania, po czym Poirot usiadł u boku pani Hubbard i próbował nie umoczyć wąsów w znakomitej minestrone, rozlewanej z dużej wazy przez małego żywego Włocha.

Następnie podano bardzo gorące spaghetti z klopsikami. W tym momencie dziewczyna siedząca po prawej ręce Poirota spytała nieśmiało:

– Czy siostra pani Hubbard naprawdę pracuje u pana?

– Naturalnie. Panna Lemon jest moją sekretarką od wielu lat. Jest to najbardziej kompetentna kobieta, jaka kiedykolwiek żyła na ziemi. Czasami się jej boję.

– Ach tak. Zastanawiałam się...

– Mianowicie nad czym, *mademoiselle*? Uśmiechnął się do niej po ojcowsku, w myślach odnotowując: „Ładna, zmartwiona, niezbyt bystra, przestraszona..."

Głośno powiedział:

– Czy wolno wiedzieć, jak się pani nazywa i co pani studiuje?

– Celia Austin. Nie studiuję. Pracuję jako pomoc aptekarska w szpitalu św. Katarzyny.

– Czy to interesująca praca?

– Bo ja wiem? Może i tak – w głosie jej brzmiała niepewność.

– A inni? Może mi pani coś o nich powie. Myślałem, że to pensjonat dla zagranicznych studentów, ale wygląda na to, że są tu głównie Anglicy.

– Niektórych cudzoziemców w tej chwili nie ma. Nie ma pana Chandry Lala i pana Gopala Rama – to Hindusi – jak również panny Reinjeer, która jest Holenderką, a także pana Ahmeda Alego, straszliwie rozpolitykowanego Egipcjanina.

– A ci, którzy są? Proszę mi o nich opowiedzieć.

– Po lewej stronie pani Hubbard siedzi Nigel Chapman. Studiuje historię średniowieczną i język włoski na uniwersytecie londyńskim. Koło niego, w okularach, to Patricia Lane. Robi dyplom z archeologii. Wielki chłopak z rudymi włosami to Len Bateson, student medycyny, a ta ciemna dziewczyna to Valerie Hobhouse, pracuje w zakładzie kosmetycznym. Koło niej siedzi Colin McNabb. Robi podyplomowy kurs psychiatrii.

W głosie Celii mówiącej o Colinie nastąpiła ledwo uchwytna zmiana. Poirot spojrzał na nią bystro i dostrzegł, że jej twarz się zaróżowiła.

Zauważył w myślach: „Tak więc jest zakochana i trudno jej ukryć ten fakt".

Spostrzegł też, że młody McNabb ani razu nie popatrzył na Celię przez stół, zbyt zajęty rozmową z roześmianą rudowłosą dziewczyną, która siedziała obok niego.

– To Sally Finch. Amerykanka, przebywa tu na stypendium Fulbrighta. Dalej Genevieve Maricaud. Studiuje anglistykę, tak samo jak René Halle siedzący obok niej. Ta drobna blondynka to Jean Tomlinson, też pracuje u św. Katarzyny. Jest fizjoterapeutką. Murzyn to Akibombo, pochodzi z Afryki Zachodniej i jest strasznie miły. Następna to Elizabeth Johnston z Jamajki. Studiuje prawo. Najbliżej nas, po mojej prawej stronie, siedzą dwaj studenci tureccy, którzy przyjechali jakiś tydzień temu. Prawie nie znają angielskiego.

– Dziękuję pani. A czy żyjecie w zgodzie, czy też się kłócicie?

Jego lekki ton nie pozwalał się domyślać wagi tych pytań.

Celia zawahała się:

– Wszyscy jesteśmy zbyt zajęci, żeby wojować ze sobą, chociaż czasem zastanawiam się…

– Nad czym, panno Austin?

– Nigel, ten który siedzi koło pani Hubbard, lubi prowokować ludzi, złościć ich. A Len Bateson potrafi łatwo wpaść w złość. Czasem wręcz szaleje z wściekłości. Ale naprawdę jest bardzo poczciwy.

– A co z Colinem McNabbem, czy on też traci panowanie nad sobą?

– Ależ skąd. Colin tylko unosi brwi i patrzy z rozbawieniem.

– Rozumiem. A wy, młode damy, kłócicie się między sobą?

– Ach nie, wszystkie żyjemy w zgodzie. Genevieve czasem się obraża. Wydaje mi się, że Francuzi są drażliwi – och, przepraszam, chciałam tylko…

– Co do mnie, jestem Belgiem – uroczyście oświadczył Poirot. I dodał szybko, zanim Celia mogła się pozbierać: – Co pani miała na myśli przed chwilą, mówiąc, że się pani zastanawia? Zastanawia nad czym?

Kruszyła nerwowo chleb.

– Nic takiego, naprawdę, tyle że ostatnio zdarzyło się tu parę głupich psikusów. Myślałam, że pani Hubbard… Ale naprawdę to głupie z mojej strony. Nie miałam niczego szczególnego na myśli.

Poirot nie nalegał. Zwrócił się do pani Hubbard i wdał w rozmowę z nią oraz z Nigelem Chapmanem, który rzucił prowokującą tezę, że zbrodnia jest formą sztuki, a ludźmi prawdziwie nieprzystosowanymi społecznie są policjanci, którzy tylko dlatego wybierają ten zawód, że są w głębi ducha sadystami. Poirot z rozbawieniem spostrzegł, że poważna młoda kobieta w okularach, siedząca obok Nigela, natychmiast próbowała wyjaśnić każdą jego wypowiedź, Nigel jednak nie zwracał na nią najmniejszej uwagi.

Pani Hubbard wyglądała na dobrodusznie rozbawioną.

– Wszyscy młodzi ludzie dzisiaj – powiedziała – zajmują się tylko polityką i psychologią. Kiedy byłam młodą dziewczyną, byliśmy znacznie bardziej beztroscy. Tańczyliśmy. Gdybyście zwinęli dywan w salonie, moglibyście tańczyć przy radiu, nigdy jednak tego nie robicie.

Celia roześmiała się i rzuciła z odrobiną złośliwości:

– Ty kiedyś tańczyłeś, Nigel. Sama z tobą tańczyłam, choć nie sądzę, żebyś pamiętał.

– Tańczyłaś ze mną – Nigel był pełen niedowierzania. – Gdzie?

– W Cambridge, podczas obchodów święta wiosny.

– Ach, święto wiosny – machnął ręką na głupstwa młodości. – Przechodzi się przez etap dojrzewania. Szczęśliwie szybko to mija.

Nigel mógł sobie liczyć najwyżej dwadzieścia pięć lat. Poirot uśmiechnął się pod wąsem.

Patricia Lane odezwała się z powagą:

– Widzi pani, tyle mamy nauki. Trzeba chodzić na wykłady, pisać prace, i naprawdę nie starcza już czasu na bezużyteczne zajęcia.

– Cóż, moja droga, młodym się jest tylko raz – odpowiedziała pani Hubbard.

Po spaghetti podano czekoladowy budyń, a następnie wszyscy przeszli do salonu i obsłużyli się kawą z dzbanka stojącego na stole. Potem poproszono Poirota, żeby rozpoczął pogadankę. Obydwaj Turcy grzecznie się wymówili. Reszta zasiadła wygodnie w oczekiwaniu.

Poirot zaczął z właściwą mu pewnością siebie. Dźwięk własnego głosu sprawiał mu zawsze przyjemność. Mówił przez trzy kwadranse w sposób lekki i zabawny, przywołując te swoje doświadczenia, które dawały się bez trudu ubarwić. Jeśli udało mu się subtelnie zasugerować, że jest kimś w rodzaju sztukmistrza, nie robiło to wrażenia rzeczy zaplanowanej.

– Zatem widzicie – kończył – mówię do tego bankiera, że przypomina mi się fabrykant mydła, którego znałem w Liege, a który otruł żonę, by móc poślubić swoją sekretarkę, piękną blondynkę. Mówię to mimochodem, ale od razu jest reakcja. On mi wciska skradzione pieniądze, które właśnie dla niego odzyskałem. Robi się blady, a w jego oczach dostrzegam strach. – Dam te pieniądze – powiadam – na jakiś zbożny cel. – Niech pan zrobi z nimi, co pan zechce – mówi on. – A ja mu wtedy z naciskiem: – Byłoby wskazane, *monsieur*, być bardzo ostrożnym. – Kiwa głową bez słowa. Wychodząc widzę, że ociera pot z czoła. Przeżył chwilę wielkiego strachu, a ja, cóż, ja ocaliłem mu życie. Bo choć się durzy w swojej jasnowłosej sekretarce, nie będzie już próbował otruć głupiej i niesympatycznej żony. Zawsze jest lepiej zapobiegać niż leczyć. Trzeba udaremnić morderstwo, a nie czekać, aż zostanie popełnione.

Skłonił się i rozłożył ręce.

– No, nudziłem państwa dostatecznie długo.

Studenci gorąco go oklaskiwali. Poirot ukłonił się ponownie. I kiedy miał już usiąść, Colin McNabb wyjął fajkę z zębów i wycedził:

– A teraz może powie nam pan o tym, co pana tu istotnie sprowadza.

Zapadła cisza, a po chwili Patricia powiedziała z wyrzutem: – Colin!

– Chyba wszyscy możemy łatwo zgadnąć, nie? – Rozejrzał się pogardliwie wokół. – *monsieur* Poirot wygłosił dla nas bardzo zajmującą małą pogadankę, ale nie po to tutaj przyszedł. Jest na służbie. Nie sądzi pan chyba, *monsieur* Poirot, że nie zdajemy sobie z tego sprawy?

– Mów za siebie, Colin – odezwała się Sally.

Poirot ponownie rozłożył ręce w pełnym wdzięku geście.

– Wyznam – oświadczył – iż moja uprzejma gospodyni zdradziła mi, że pewne wypadki przyczyniły jej zmartwienia.

Len Bateson zerwał się na nogi, z miną nachmurzoną i zaczepną.

– Słuchajcie no – zawołał – co jest grane? Nasłali nam szpicla?

– Naprawdę dopiero teraz wpadłeś na to, Bateson? – niewinnie zapytał Nigel.

Celia wydała przestraszony okrzyk: – Więc miałam rację!

Pani Hubbard zdecydowanie przejęła ster:

– Poprosiłam *monsieur* Poirota, żeby wygłosił dla nas pogadankę, ale chciałam też uzyskać jego radę na temat różnych rzeczy, które się tu ostatnio wydarzyły. Coś trzeba zrobić, a wydawało mi się, że alternatywą jest jedynie policja.

Od razu wybuchł nieopisany zgiełk. Genevieve w podnieceniu przeszła na francuski. – To hańba, to wstyd, żeby iść na policję. – Dołączyły inne głosy, za albo przeciw. Wreszcie zapadła cisza, którą przerwał zdecydowany głos Leonarda Batesona:

– Posłuchajmy, co *monsieur* Poirot ma do powiedzenia na temat naszych kłopotów.

Pani Hubbard poinformowała:

– Przedstawiłam *monsieur* Poirotowi wszystkie fakty. Jeśli zechce zadać pytania, jestem pewna, że nikt z was nie będzie oponował.

Poirot ukłonił się jej.

– Dziękuję pani. – Z miną magika wyciągnął parę wieczorowych pantofli i wręczył je Sally Finch:

– Czy to pani pantofelki, *mademoiselle*?

– Tak, istotnie, co, oba? Skąd pochodzi brakujący?

– Z biura rzeczy znalezionych na stacji Baker Street.

– Ale jak pan wpadł na to, żeby tam go szukać, *monsieur* Poirot?

– Bardzo prosty proces dedukcji. Ktoś zabiera z pani pokoju pantofel. Po co? Nie żeby nosić czy sprzedać. A ponieważ wszyscy przeszukują dom, żeby go odnaleźć, trzeba ten bucik wynieść z domu albo zniszczyć. Nie tak łatwo jednak zniszczyć pantofel. Najprościej zrobić paczkę, wziąć ją do autobusu czy metra w godzinach szczytu i zostawić pod siedzeniem. Była to pierwsza rzecz, jaka mi przyszła do głowy i okazało się, że miałem rację. Wiedziałem więc, że podążamy właściwą drogą, pantofel zabrał ktoś po to, żeby, jak mówi się w waszej *Alicji w krainie czarów*, „tylko zirytować, on wie bowiem, że to drażni".

Valerie parsknęła śmiechem:

– To wskazuje na ciebie, Nigel, mój kochany.

Nigel odpowiedział z nieco wymuszonym uśmiechem:

– Jeśli pantofel pasuje, włóż go.

– Nonsens – zawołała Sally. – Nigel nie mógł tego zrobić.

– Oczywiście że nie – gniewnie wtrąciła Patricia. – Co za absurdalny pomysł.

– Nie wiem czy absurdalny – powiedział Nigel. – W każdym razie niczego podobnego nie zrobiłem, jak zresztą niewątpliwie oświadczymy wszyscy.

Wyglądało, że Poirot tylko czekał na te słowa, jak aktor czeka na swoją kwestię. Jego oczy zatrzymały się w zamyśleniu na rozpalonej twarzy Lena Batesona, a następnie ogarnęły spojrzeniem resztę towarzystwa.

Rozpoczął, celowo gestykulując rękoma na cudzoziemską modłę:

– Moja pozycja jest delikatna. Jestem tu gościem. Przyszedłem na zaproszenie pani Hubbard spędzić przyjemny wieczór, to wszystko. I także oczywiście zwrócić *mademoiselle* parę uroczych pantofelków wieczorowych. Jeśli chodzi o inne sprawy... – przerwał. – *monsieur*... Bateson? tak, Bateson poprosił mnie, żebym powiedział, co myślę o tych... kłopotach. Byłoby jednak impertynencją z mojej strony zabierać głos, dopóki nie poprosi mnie o to nie tylko jedna osoba, ale wy wszyscy.

Akibombo z energią kiwnął potakująco czarną kędzierzawą głową:

– Oto właściwa procedura, tak jest – oświadczył. – Prawdziwie demokratyczne postępowanie polega na poddaniu sprawy pod głosowanie wszystkich obecnych.

Sally Finch zawołała ze zniecierpliwieniem w głosie:

– Jeszcze czego! Mamy coś w rodzaju przyjęcia, spotkania towarzyskiego. Posłuchajmy, co *monsieur* Poirot radzi bez dalszego zawracania głowy.

– Jestem z tobą absolutnie zgodny, Sally – powiedział Nigel.

Poirot skłonił głowę.

– Dobrze więc – oświadczył. – Skoro wszyscy zadajecie mi to pytanie, odpowiadam, że moja rada jest całkiem prosta. Pani Hubbard, czy raczej pani Nicoletis, powinna natychmiast zawezwać policję. Nie ma czasu do stracenia.

Rozdział V

Nie ulegało wątpliwości, że oświadczenie Poirota było nieoczekiwane. W odpowiedzi nie rozległ się szmer protestów czy komentarzy, ale zapadła nagła i pełna skrępowania cisza.

Korzystając z chwilowego zawieszenia akcji, pani Hubbard zabrała Poirota do swojego saloniku na górze. Detektyw pożegnał się z towarzystwem jedynie krótkim i grzecznym „Dobranoc państwu".

Pani Hubbard zapaliła światło, zamknęła drzwi i uprosiła *monsieur* Poirota, by zechciał zająć fotel przy kominku. Na jej dobrodusznej twarzy malowały się powątpiewanie i niepokój. Poczęstowała gościa papierosem, ale Poirot grzecznie odmówił, wyjaśniając, że woli własne. Zaproponował swojego, ale odmówiła z roztargnieniem: – Ja nie palę, *monsieur* Poirot.

Po czym, usadowiwszy się naprzeciw niego, odezwała się:

– Zapewne ma pan rację, *monsieur* Poirot. Być może powinniśmy wezwać policję w tej sprawie, szczególnie po tym złośliwym rozlaniu atramentu. Wolałabym jednak, żeby pan tego nie powiedział tak prosto z mostu.

– Ach tak – Poirot zapalił jedną ze swoich malutkich cygaretek i obserwował unoszący się dym – uważa pani, że powinienem milczeć?

– Cóż, dobrze jest mówić szczerze i otwarcie, wydaje mi się jednak, że byłoby lepiej nic nie powiedzieć, a poprosić policjanta, żeby zaszedł i wyjaśnić mu sprawy prywatnie. Chodzi mi o to, że ten, kto dopuścił się tych głupich czynów... że ta osoba została teraz ostrzeżona.

– Być może.

– Powiedziałabym, że z całą pewnością – odparła pani Hubbard dość ostro. – Nie ma tu żadnego „być może"! Nawet jeśli to ktoś ze służby albo student czy studentka, których nie było dziś wieczorem, wieść się rozniesie. Takie rzeczy zawsze się rozchodzą.

– Święta prawda. Takie rzeczy zawsze się rozchodzą.

– Jest jeszcze pani Nicoletis. Naprawdę nie wiem, jakie ona zajmie stanowisko. Z nią nigdy nic nie wiadomo.

– Ciekawe będzie się dowiedzieć.

– Naturalnie nie możemy wezwać policji bez jej zgody. Och, kto tam znowu?

Dało się słyszeć krótkie, energiczne pukanie do drzwi. Rozległo się powtórnie i zanim pani Hubbard zawołała poirytowanym głosem: – Proszę – drzwi się otworzyły i Colin McNabb, z fajką tkwiącą nieruchomo w zębach, patrzący spode łba, wkroczył do pokoju.

Wyjąwszy fajkę i zamknąwszy drzwi za sobą, powiedział:

– Proszę mi darować, ale bardzo mi zależy, żeby zamienić słowo z *monsieur* Poirotem.

– Ze mną? – Poirot zwrócił ku niemu twarz z wyrazem niewinnego zaskoczenia.

– A tak, z panem – odparł Colin ostro.

Przysunął sobie dość niewygodne krzesło i zasiadł na nim vis-à-vis Poirota.

– Wygłosił pan dla nas dziś wieczór zabawną pogadankę – zaczął pobłażliwie. – Nie przeczę, że jest pan człowiekiem z różnorodnym i bogatym doświadczeniem, ale jeśli wybaczy mi pan to, co powiem, pańskie metody są równie przestarzałe, jak pańskie poglądy.

– Colin! – zawołała rumieniąc się pani Hubbard. – Jesteś bardzo nieuprzejmy.

– Nie chcę nikogo obrażać, ale muszę postawić sprawę jasno. Zbrodnia i kara, *monsieur* Poirot, one wyznaczają pański horyzont.

– Wydają mi się naturalną sekwencją – mruknął Poirot.

– Ma pan ograniczony pogląd na prawo, co więcej, prawo w jego najbardziej staroświeckiej formie. Dzisiaj nawet prawo musi orientować się na bieżąco co do najnowszych i najbardziej aktualnych teorii na temat tego, co powoduje zbrodnię. Powody się liczą, *monsieur* Poirot.

– Ależ jeżeli o to chodzi – wykrzyknął Poirot – to używając waszego nowomodnego zwrotu, jestem z panem absolutnie zgodny!

– Wobec tego musi pan zastanowić się nad powodem tego, co zaszło w tym domu, musi pan dociec przyczyn, źródła tych wydarzeń.

– Ależ nadal zgadzam się z panem. Tak jest, to niesłychanie ważne.

– Ponieważ zawsze istnieje powód, a być może dla zainteresowanego jest to bardzo istotny powód.

W tym momencie pani Hubbard, niezdolna się opanować, wtrąciła ostro: – Bzdury.

– Tu się pani myli – Colin zwrócił się lekko w jej stronę. – Musi pani brać pod uwagę tło psychologiczne.

– Psychologiczne brednie – zaopiniowała pani Hubbard. – Uważam takie gadanie za skończoną głupotę.

– Ponieważ absolutnie nic pani na ten temat nie wie – skarcił ją z surową miną Colin. Na powrót skierował spojrzenie na Poirota.

– Interesuję się tymi sprawami. Obecnie przechodzę podyplomowy kurs psychiatrii i psychologii. Mamy do czynienia z najbardziej skomplikowanymi i zadziwiającymi przypadkami i dlatego staram się wykazać panu, *monsieur* Poirot, że nie można odfajkować kryminalisty za pomocą teorii o grzechu pierworodnym albo umyślnym złamaniu prawa obowiązującego w kraju. Trzeba dojść do zrozumienia jądra problemu, jeśli chce się osiągnąć pozytywne rezultaty w stosunku do młodego przestępcy. Owe idee nie były znane ani brane pod uwagę w pańskich czasach, nie wątpię więc, że trudno je panu zaakceptować...

– Kradzież to kradzież – obstawała pani Hubbard.

Colin zmarszczył ze zniecierpliwieniem brwi, ale Poirot powiedział potulnie:

– Moje poglądy są na pewno przestarzałe, ale jestem gotów wysłuchać pana z całą uwagą, panie McNabb.

Colin wyglądał na przyjemnie zdziwionego.

– To bardzo uczciwe postawienie sprawy, *monsieur* Poirot. Spróbuję teraz wyjaśnić to panu, używając bardzo prostych terminów.

– Dziękuję – odparł pokornie Poirot.

– Najwygodniej będzie zacząć od pantofli, które przyniósł pan dzisiaj ze sobą i zwrócił Sally Finch. Jeśli pan pamięta, skradziono tylko jeden z nich. Tylko jeden.

– Pamiętam, że mnie to uderzyło – przyznał Poirot.

Colin McNabb nachylił się ku niemu, na jego chmurnym, choć przystojnym obliczu malował się zapał.

– Tak, ale nie dostrzegł pan znaczenia tego faktu. Trudno sobie wymarzyć piękniejszy i bardziej pouczający przykład. Nie ulega wątpliwości, że mamy tu do czynienia z kompleksem Kopciuszka. Być może zna pan bajkę o Kopciuszku.

– Bajkę francuskiego pochodzenia, *mais oui.*

– Kopciuszek, niepłatna sługa, siedzi przy ogniu; jej siostry, wystrojone, jadą na bal do królewicza. Dobra wróżka wysyła także Kopciuszka na ten bal. Z wybiciem północy balowa suknia przemienia się w łachmany – Kopciuszek ucieka pośpiesznie, zostawiając za sobą jeden pantofelek. Mamy więc do czynienia z osobą, która porównuje siebie do Kopciuszka (oczywiście nieświadomie).

Występuje tu frustracja, zawiść, poczucie niższości. Dziewczyna kradnie pantofelek. Dlaczego?

– Dziewczyna?

– Naturalnie, że dziewczyna. To – powiedział Colin karcąco – powinno być jasne dla najbardziej ograniczonej inteligencji.

– Ależ Colin! – wykrzyknęła pani Hubbard.

– Proszę, niech pan kontynuuje – grzecznie powiedział Poirot.

– Prawdopodobnie ona sama nie wie, dlaczego to robi, ale podświadome życzenie jest wyraźne. Chce być księżniczką, chce, żeby książę ją rozpoznał i upomniał się o nią. Znaczący jest też inny fakt, to mianowicie, że pantofelek zostaje skradziony ładnej dziewczynie, która wybiera się na bal.

Fajka Colina dawno zgasła. Obecnie wymachiwał nią z rosnącym entuzjazmem.

– Teraz rozważmy niektóre z pozostałych wydarzeń. Porywanie rzeczy ładnych, niczym sroka: wszystkie kojarzą się z atrybutami kobiecej kokieterii. Puderniczka, szminka, kolczyki, bransoletka, pierścionek: jest w tym podwójne znaczenie. Dziewczyna chce być dostrzeżona. Chce nawet być ukarana – jak to często ma miejsce w wypadku młodocianych przestępców. Przywłaszczenia ani jednej z tych rzeczy nie można nazwać zwykłą kradzieżą. Nie chodzi tu o wartość przedmiotu. Na tej zasadzie zamożne kobiety idą do wielkich magazynów i kradną rzeczy, które doskonale mogłyby sobie kupić.

– Nonsens – wtrąciła zaczepnie pani Hubbard. – Niektórzy są po prostu najzwyczajniej w świecie nieuczciwi i to wszystko.

– Jednak wśród rzeczy skradzionych był pierścionek z brylantem, przedstawiający pewną wartość – zauważył Poirot, ignorując komentarz pani Hubbard.

– Został zwrócony.

– No i chyba, panie McNabb, nie zaliczy pan stetoskopu do damskich błyskotek?

– To ma głębsze znaczenie. Kobiety, które czują, że brak im szczególnego powabu, mogą znaleźć sublimację w dążeniu do kariery zawodowej.

– A książka kucharska?

– Symbol życia domowego, męża, rodziny.

– A kwas borny?

Colin odpowiedział z rozdrażnieniem:

– Drogi *monsieur* Poirot. Nikt by nie kradł kwasu bornego. Na co to komu?

– Sam się zastanawiam. Muszę przyznać, *monsieur* McNabb, że wydaje się pan mieć na wszystko gotową odpowiedź. Niechże więc mi pan wyjaśni, jakie znaczenie może mieć zniknięcie pary starych flanelowych spodni – pańskich flanelowych spodni, o ile wiem.

Po raz pierwszy Colin sprawiał wrażenie zmieszanego. Zarumienił się i odchrząknął.

– Mógłbym to wyjaśnić, ale byłoby to dość skomplikowane, a poza tym trochę, hm, krępujące.

– Cóż, proszę oszczędzić mi rumieńców.

Poirot wychylił się nagle i klepnął młodego człowieka w kolano:

– A atrament wylany na cudze notatki, a jedwabna apaszka pocięta i poszarpana? Czy te wypadki nie napełniają pana niepokojem?

Samozadowolenie i pewność siebie cechujące sposób bycia Colina przeszły nagłą i wcale miłą metamorfozę.

– Napełniają – odpowiedział. – Niech mi pan wierzy, napełniają. To jest poważne. Ktoś powinien się natychmiast nią zająć. Powinna podjąć leczenie, w tym rzecz. To nie jest sprawa dla policji. Ta biedna kretynka nie wie nawet, co robi. Jest cała w środku poskręcana na supełki. Gdybym...

Poirot przerwał mu.

– Więc pan wie, kto to jest?

– Mam dość wyraźne podejrzenia.

Poirot mruczał pod nosem, z miną kogoś, kto podsumowuje fakty:

– Dziewczyna, która nie ma oszałamiającego powodzenia u płci przeciwnej. Dziewczyna nieśmiała. Dziewczyna uczuciowa. Dziewczyna, której umysł cechuje pewna powolność reakcji. Dziewczyna, która czuje się sfrustrowana i samotna. Dziewczyna...

Rozległo się pukanie do drzwi. Poirot urwał nagle. Pukanie się powtórzyło.

– Proszę – zawołała pani Hubbard.

Drzwi się otworzyły i weszła Celia Austin.

– Aa – Poirot pokiwał głową. – Właśnie. Panna Celia Austin.

Celia popatrzyła na Colina żałosnym wzrokiem.

– Nie wiedziałam, że tu jesteś – wykrztusiła bez tchu – Przyszłam... przyszłam...

Zaczerpnęła głęboko powietrza i rzuciła się w kierunku pani Hubbard.

– Proszę, proszę, niech pani nie wzywa policji. To ja. Ja brałam te rzeczy. Nie wiem, dlaczego. Nie potrafię sobie wyobrazić. Nie chciałam tego. To mnie... jakoś tak naszło – obróciła się szybko do Colina. – Teraz już wiesz, jaka jestem... myślę, że nigdy w życiu już się do mnie nie odezwiesz. Wiem, że jestem okropna...

– O, wcale nie – odpowiedział Colin. Jego głęboki głos brzmiał przyjaźnie i ciepło. – Troszkę jesteś rozkojarzona. To coś w rodzaju choroby, jaką przeszłaś, nie widząc rzeczy we właściwych proporcjach. Jeśli zaufasz mi, Celio, wkrótce pomogę ci się pozbierać.

– Och, Colin, naprawdę?

Celia spoglądała na niego z nieukrywanym uwielbieniem.

– Tak się zamartwiałam.

Ujął jej dłoń trochę niezgrabnie.

– Nie ma potrzeby więcej się martwić. – Wstając przełożył rękę Celii przez swoje zgięte ramię i popatrzył surowo na panią Hubbard.

– Mam nadzieję – powiedział – że nie będzie już więcej głupiego gadania o policji. Nie zostało skradzione nic, co miałoby jakąś rzeczywistą wartość, a to, co zginęło, Celia zwróci.

– Nie mogę zwrócić bransoletki i puderniczki – odpowiedziała nerwowo Celia. – Wepchnęłam je do rynsztoka. Ale kupię nowe.

– A stetoskop? – zapytał Poirot. – Gdzie go pani podziała?

Celia się zarumieniła.

– Nigdy nie brałam żadnego stetoskopu. Do czego byłby mi potrzebny głupi, stary stetoskop? – Jej rumieniec pogłębił się. – Także nie ja wylałam atrament na notatki Elizabeth. Nigdy nie dopuściłabym się czegoś tak złośliwego.

– Jednak, *mademoiselle*, pocięła pani i poszarpała apaszkę panny Hobhouse.

Celia zmieszała się. Odpowiedziała niepewnie:

– To co innego. To znaczy, Valerie się tym nie przejęła.

– A plecak?

– Och, nie pocięłam go. To musiał być czyjś wybuch złości.

Poirot wyciągnął listę, którą przepisał z notatnika pani Hubbard.

– Proszę mi powiedzieć – rzekł – i tym razem musi to być prawda. Co z tego jest pani sprawką, a co nie?

Celia rzuciła okiem na listę. Jej odpowiedź była natychmiastowa:

– Nie wiem nic o plecaku ani o żarówkach, a pierścionek był pomyłką. Kiedy zdałam sobie sprawę, że jest wartościowy, zwróciłam go.

– Rozumiem.

– Ponieważ naprawdę nie chciałam być nieuczciwa. Tylko, że...

– Tylko że co?

W oczach Celii pojawił się wyraz pewnej nieufności.

– Nie wiem... naprawdę nie wiem. Wszystko mi się miesza.

Colin wtrącił się arbitralnie:

– Będę wdzięczny, jeżeli zechce się pan powstrzymać od pytań. Mogę obiecać, że to się więcej nie powtórzy. Odtąd biorę za nią całkowitą odpowiedzialność.

– Och, Colin, jesteś dla mnie taki dobry.

– Musisz mi wiele o sobie opowiedzieć, Celio. Na przykład o twoich wczesnych latach w domu. Czy twoi rodzice żyli w zgodzie?

– Och nie, to było okropne... w domu...

– Właśnie. Oraz...

W tym momencie pani Hubbard przemówiła tonem nieznoszącym sprzeciwu:

– Na razie wystarczy, jeśli chodzi o was oboje. Cieszę się, Celio, że przyszłaś i przyznałaś się. Spowodowałaś wiele zmartwienia i zdenerwowania, i powinnaś się wstydzić. Niemniej powiem jedno. Przyjmuję, że nie wylałaś celowo atramentu na notatki Elizabeth. Nie wierzę, żebyś dopuściła się czegoś podobnego. Teraz idźcie już oboje, ty i Colin. Mam was obojga dosyć na dzisiejszy wieczór.

Kiedy drzwi się za nimi zamknęły, pani Hubbard głęboko odetchnęła:

– No – powiedziała. – Co pan o tym myśli?

W oczach Herkulesa Poirota pojawił się żartobliwy błysk:

– Myślę, że byliśmy świadkami sceny miłosnej. W nowoczesnym stylu.

Pani Hubbard wydała okrzyk zniecierpliwienia.

– *Autres temps, autres moeurs** – mruknął Poirot. – Za moich czasów młodzi ludzie pożyczali dziewczętom książki z dziedziny teozofii albo rozprawiali o *Błękitnym ptaku* Maeterlincka. Wszystko było sentymentalne i idealistyczne. Obecnie to życiowe nieprzystosowanie i kompleksy zbliżają do siebie dziewczynę i chłopca.

– Wszystko to jest kompletnym nonsensem – zauważyła pani Hubbard.

Poirot był odmiennego zdania.

– Nie, to nie jest kompletny nonsens. Podstawowe zasady są dostatecznie sensowne, ale kiedy jest się młodym, zapalonym badaczem, jak Colin, widzi się wyłącznie kompleksy i trudne dzieciństwo ofiary.

– Ojciec Celii umarł, kiedy miała cztery lata – wyjaśniła pani Hubbard. – Miała całkiem przyjemne dzieciństwo z sympatyczną, choć dość ograniczoną matką.

– Ba, ale ma tyle rozumu, by nie mówić tego młodemu panu McNabbowi. Powie mu to, co on chce usłyszeć. Jest bardzo zakochana.

– Czy pan wierzy w te wszystkie bzdury, *monsieur* Poirot?

– Nie wierzę, że Celia ma kompleks Kopciuszka albo że kradła, nie wiedząc, co robi. Myślę, że podjęła ryzyko kradzieży drobiazgów bez znaczenia, żeby zwrócić uwagę pełnego entuzjazmu Colina McNabba – który to cel osiągnęła. Na zwyczajną, nieśmiałą choć ładną dziewczynę może by nigdy nie spojrzał. Moim zdaniem – dodał – dziewczyna ma prawo uciec się do rozpaczliwych metod, żeby zdobyć swego mężczyznę.

– Nie posądzałabym jej o dostateczną inteligencję, żeby to wymyślić – powiedziała pani Hubbard.

Poirot zmarszczył czoło. Pani Hubbard ciągnęła dalej:

– Tak więc cała sprawa okazała się zawracaniem głowy. Naprawdę przykro mi, *monsieur* Poirot, że zajęłam panu czas niepotrzebnie. W każdym razie wszystko dobre, co się dobrze kończy.

– Nie, nie – Poirot potrząsnął głową. – Nie sądzę, żebyśmy już doszli do końca. Pozbyliśmy się pewnej błahostki, która znalazła

* fr. *Inne czasy, inne obyczaje.*

się na pierwszym planie. Ale pozostają rzeczy nadal niewyjaśnione i co do mnie, mam wrażenie, że chodzi tu o coś poważnego, naprawdę poważnego.

Twarz pani Hubbard ponownie przybrała wyraz zatroskania.

– Ojej, *monsieur* Poirot, czy pan naprawdę tak myśli?

– Takie odnoszę wrażenie... Czy sądzi pani, *madame*, że mógłbym porozmawiać z panną Patricią Lane? Chciałbym przyjrzeć się temu skradzionemu pierścionkowi.

– Oczywiście, *monsieur* Poirot. Zejdę na dół i przyślę ją panu. Chcę coś powiedzieć Lenowi Batesonowi.

Patricia Lane nadeszła wkrótce i popatrzyła pytająco.

– Przepraszam, że panią niepokoję, panno Lane.

– Nie szkodzi. Nie byłam zajęta. Pani Hubbard powiedziała mi, że chce pan zobaczyć mój pierścionek.

Zsunęła go z palca i wręczyła Poirotowi:

– Brylant jest rzeczywiście spory, ale oprawa naturalnie staroświecka. Był to zaręczynowy pierścionek mojej matki.

Poirot, który przyglądał się uważnie pierścionkowi, skinął głową.

– Czy matka pani żyje?

– Nie. Oboje rodzice nie żyją.

– To smutne.

– Tak. Oboje byli bardzo miłymi ludźmi, ale jakoś nigdy nie byłam z nimi tak blisko, jak powinnam być. Później się tego żałuje. Matka chciała mieć płochą, ładną córkę uwielbiającą stroje i zabawy. Bardzo była rozczarowana, kiedy zaczęłam studiować archeologię.

– Pani zawsze była poważnie nastawiona do życia?

– Chyba tak. Życie wydaje się tak krótkie, że naprawdę powinno się robić coś wartościowego.

Poirot popatrzył na nią w zamyśleniu.

Patricia Lane musiała, jego zdaniem, przekroczyć trzydziestkę. Poza odrobiną rozmazanej na ustach szminki nie miała makijażu. Mysiego koloru włosy, zaczesane z czoła, nie układały się w żadną fryzurę. Niebrzydkie niebieskie oczy spoglądały poważnie zza okularów.

– Żadnego powabu, *mon Dieu* – mruknął do siebie z niechęcią. – A jej ubranie! Jak to się mówi? Jak psu z gardła. *Ma foi*, określenie bardzo trafne w tym wypadku.

Nie był zachwycony. Świadczący o dobrym wychowaniu, pozbawiony śladów emocjonalności akcent Patricii drażnił jego ucho. „Inteligentna i kulturalna dziewczyna – pomyślał – ale niestety z każdym rokiem będzie się stawała coraz bardziej nudna. Na starość... – na chwilę powróciło wspomnienie hrabiny Very Rossakoff. Cóż za egzotyczny przepych, nawet u schyłku! Te dzisiejsze dziewczęta... – Ale to pewnie dlatego, że się starzeję – powiedział sobie Poirot. – Nawet ta zacna dziewczyna może wydać się jakiemuś mężczyźnie prawdziwą Wenus. Osobiście jednak w to wątpię".

Patricia tymczasem mówiła:

– Jestem naprawdę wstrząśnięta z powodu tego, co przydarzyło się Bess, to znaczy pannie Johnston. Zielonego atramentu, moim zdaniem, użył ktoś specjalnie, żeby wyglądało to na robotę Nigela. Ale zapewniam pana, *monsieur* Poirot, że Nigel nigdy nie zrobiłby czegoś podobnego.

– Ach tak – Poirot przyjrzał jej się z większym zainteresowaniem. Była zarumieniona i wreszcie rzeczywiście przejęta.

– Nigela niełatwo zrozumieć – ciągnęła żarliwie. – Widzi pan, miał trudne stosunki domowe jako dziecko.

– *Mon Dieu*, jeszcze jeden?

– Słucham?

– Nic, nic. Mówiła pani...

– O Nigelu. Jest trudny. Zawsze miał skłonność do przeciwstawiania się wszelkim autorytetom. Jest bardzo zdolny, naprawdę genialny, ale muszę przyznać, że czasami postępuje bardzo niemądrze. Drwi ze wszystkiego i wszystkich, rozumie pan. Poza tym nie poniży się do wyjaśnień i nie będzie się bronił. Choćby każdy myślał, że to on rozlał ten atrament, nie kiwnie palcem, żeby ludzi przekonać, że jest inaczej. Po prostu powie: „Niech sobie tak myślą, jeśli chcą". A to jest postawa naprawdę głupia.

– Może być źle zrozumiany, to pewne.

– Myślę, że to rodzaj dumy. Ponieważ zawsze był tak nierozumiany...

– Pani go zna od wielu lat?

– Nie, zaledwie od roku. Spotkaliśmy się na wycieczce do zamków nad Loarą. Zachorował na grypę, z której wywiązało się zapalenie płuc i ja go pielęgnowałam. Jest bardzo delikatny, a absolutnie nie dba o swoje zdrowie. Pod pewnymi względami, mimo że jest tak niezależny, potrzebuje opieki jak dziecko. Naprawdę brakuje mu kogoś, kto by się o niego troszczył.

Poirot westchnął. Poczuł się nagle bardzo zmęczony miłością... Najpierw Celia z pełnymi uwielbienia oczyma spaniela. A teraz Patricia wyglądająca jak żarliwa Madonna. Rzecz jasna, miłość musi istnieć, młodzi ludzie muszą się spotykać i łączyć w pary, ale dzięki Bogu on, Poirot, ma już to wszystko za sobą. Wstał.

– Pozwoli pani, *mademoiselle*, że zatrzymam pani pierścionek? Zostanie pani niechybnie zwrócony jutro.

– Oczywiście, skoro pan sobie życzy – odpowiedziała Patricia z pewnym zdziwieniem.

– Jest pani bardzo uprzejma. I proszę uważać, *mademoiselle*.

– Uważać? Na co?

– Chciałbym to wiedzieć – wyznał Herkules Poirot.

Nadal odczuwał niepokój.

Rozdział VI

Dzień następny był, zdaniem pani Hubbard, pod każdym względem nie do wytrzymania. Obudziła się co prawda z poczuciem znacznej ulgi: dokuczliwe wątpliwości dotyczące ostatnich zajść wreszcie zostały rozwiązane. Niemądra dziewczyna, zachowująca się w ten nierozsądny, nowoczesny sposób (który pani Hubbard uważała za skończoną głupotę), okazała się winna. Odtąd zapanuje porządek.

Kiedy w tym błogim nastroju zeszła na śniadanie, przekonała się, że jej świeżo zdobyty spokój jest poważnie zagrożony. Studenci wybrali sobie ten właśnie ranek, żeby być szczególnie nieznośni, każdy na swój sposób.

Chandra Lal, który dowiedział się o „sabotażu", jakiego ofiarą padły notatniki Elizabeth, stał się rozgorączkowany i nieoczekiwanie wymowny:

– Ucisk – wykrzykiwał – ucisk innych ras. Pogarda i uprzedzenie. Mamy tu doskonały przykład.

– No, wie pan – ostro zareagowała pani Hubbard. – Jak pan może mówić coś podobnego? Nikt nie wie, kto to zrobił ani dlaczego.

– Jak to, pani Hubbard? Myślałam, że Celia sama do pani przyszła i uczyniła wyznanie – wtrąciła Jean Tomlinson. – Uważałam, że to z jej strony bardzo szlachetne. Wszyscy musimy być dla niej bardzo dobrzy.

– Czy musisz być tak obrzydliwie świętoszkowata, Jean? – gniewnie zapytała Valerie.

– Wydaje mi się, że to bardzo nieładnie tak komuś powiedzieć.

– „Uczyniła wyznanie" – obruszył się Nigel. – Co za wyjątkowo wstrętne wyrażenie.

– Nie widzę, dlaczego. Grupa Oksfordzka go używa...

– Och, na miłość boską, czy musimy mieć Grupę Oksfordzką na śniadanie?

– O co tu chodzi, mamciu? Mówi pani, że to Celia zwędziła te wszystkie rzeczy? A dlaczego nie zeszła na śniadanie?

– Jeśli można, ja nic nie rozumiem – oświadczył Akibombo.

Nikt go nie oświecił. Każdy przede wszystkim chciał wypowiedzieć swoją kwestię.

– Biedne dziecko – westchnął Len Bateson. – Nie miała forsy czy co?

– Wiecie, ja nie jestem zdziwiona – mówiła powoli Sally. – Zawsze miałam pewne podejrzenia...

– Mówicie, że to Celia rozlała atrament na moje notatki? – wyglądało, że Elizabeth Johnston nie może uwierzyć. – To wydaje się zdumiewające i nieprawdopodobne.

– Celia nie rozlała atramentu na twoje notatki – odparła pani Hubbard. – Naprawdę bym chciała, żebyście zaprzestali tej dyskusji. Miałam wam powiedzieć spokojnie później, ale...

– Ale Jean podsłuchiwała wczoraj wieczorem pod drzwiami – wtrąciła Valerie.

– Nie podsłuchiwałam. Przypadkowo przechodziłam...

– No, dalej. Bess – przerwał Nigel. – Wiesz bardzo dobrze, kto rozlał atrament. Ja, powiedział niedobry Nigel, z mojej zielonej flaszeczki, ja rozlałem atrament.

– On tego nie zrobił. On tylko udaje! Ach, Nigel, jak możesz być tak głupi?

– Jestem szlachetny i osłaniam ciebie. Pat. Kto wczoraj rano pożyczył mój atrament? Ty.

– Jeśli można, ja nic nie rozumiem – powtórzył Akibombo.

– Wcale nie musisz rozumieć – odpowiedziała Sally. – Trzymałabym się z daleka od tego na twoim miejscu.

Chandra Lal zerwał się na równe nogi:

– Pytacie, dlaczego jest Mau Mau? Pytacie, dlaczego Egipt protestuje w sprawie Kanału Sueskiego?

– Och, do diabła! – krzyknął Nigel i uderzył filiżanką o spodek. – Najpierw Grupa Oksfordzka, a teraz polityka! Przy śniadaniu! Wychodzę.

Gwałtownie odsunął krzesło i wybiegł z jadalni.

– Jest zimny wiatr. Weź koniecznie płaszcz – Patricia zerwała się i podążyła za nim.

– Kwa, kwa, kwa – złośliwie zawołała Valerie. – Niedługo porośnie w pierze i będzie machała skrzydełkami.

Genevieve, zbyt słabo jeszcze znająca angielski, by podążyć w pełni za tą szybką wymianą zdań, słuchała wyjaśnień szeptanych jej do ucha przez Renego. W pewnej chwili zerwała się z krzesła, wyrzucając z siebie głosem podniesionym niemal do krzyku:

– *Comment donc? C'est cette petite qui m'a volé mon compact? Ah, par exemple! J'rai a la police. Je ne supporterai pas une pareille...**

Colin McNabb usiłował od jakiegoś czasu zwrócić na siebie uwagę, ale jego głęboki głos i afektowana wymowa ginęły w chórze zgromadzonych przy stole. Rezygnując z wyniosłych manier, Colin rąbnął pięścią w stół, aż wszyscy zamilkli w zdumieniu. Miseczka z marmoladą pomarańczową ześliznęła się ze stołu i rozbiła.

– Przestańcie wszyscy gadać i posłuchajcie, co mam do powiedzenia. Nigdy nie zetknąłem się z równie prymitywną ignorancją i nieżyczliwością! Czy nikt z was nigdy nie słyszał o psychologii? Dziewczyna nie jest winna, ja wam to mówię. Przechodzi poważny kryzys emocjonalny i trzeba odnosić się do niej z najgłębszym zrozumieniem i troską, inaczej może cierpieć na zaburzenia psychiczne do końca życia. Ostrzegam was. Najgłębsze zrozumienie, oto czego jej trzeba.

---

* *fr.* Co takiego? czy to ta mała ukradła mi puderniczkę? Ładne rzeczy! Pójdę na policję. Nie będę tolerowała czegoś podobnego...

– Ale mimo wszystko – Jean była precyzyjna i zasadnicza – chociaż w pełni się zgadzam co do życzliwości, chyba nie powinniśmy darować czegoś podobnego. W końcu to kradzież.

– Kradzież – sarknął Colin. – To nie była kradzież. Niedobrze mi się robi, kiedy was wszystkich słucham.

– Interesujący przypadek, co Colin? – Valerie uśmiechnęła się do niego porozumiewawczo.

– Jeśli kogoś interesuje praca umysłu, owszem.

– Naturalnie, ona nie wzięła nic mojego – zaczęła Jean. – Myślę jednak...

– Nie, nie wzięła nic twojego – napadł na nią Colin. – I gdybyś choć trochę orientowała się, co to znaczy, może wcale nie byłabyś zachwycona.

– Naprawdę, nie rozumiem...

– Ach, dosyć Jean – wtrącił Len Bateson. – Przestań zrzędzić i gadać. Spóźnię się z tego wszystkiego, i ty także.

Wyszli razem: – Powiedzcie Celii, żeby się trzymała – rzucił przez ramię.

– Chciałbym złożyć formalny protest – nie dawał za wygraną Chandra Lal. – Został zabrany kwas borny, niezbędny dla moich oczu, bardzo podrażnionych od nauki.

– Pan także się spóźni, panie Chandra Lal – oświadczyła stanowczo pani Hubbard.

– Mój profesor jest często niepunktualny – odpowiedział ponuro pan Chandra Lal, ruszając jednak w kierunku drzwi. – Także złości się i reaguje niedorzecznie, kiedy zadaję mu wiele pytań głębszej natury...

– *Mais il faut qu'elle me le rende, ce compact** – przerwała Genevieve.

– Musisz mówić po angielsku, Genevieve. Nigdy nie nauczysz się angielskiego, jeśli będziesz przechodzić na francuski za każdym razem, kiedy jesteś czymś poruszona. Poza tym jadłaś w tym tygodniu obiad w niedzielę i nie zapłaciłaś mi – przypominała pani Hubbard.

– Oj, nie mam przy sobie portmonetki. Wieczorem... *Viens René, nous serons en retard.***

---

* *fr.* Ale ma mi zwrócić puderniczkę.

** *fr.* Chodź, René, spóźnimy się

– Jeśli można – Akibombo rozglądał się wokół błagalnie. – Ja nie rozumiem.

– Chodź, Akibombo – powiedziała Sally. – Wyjaśnię ci wszystko po drodze do instytutu.

Skinęła głową uspokajająco w kierunku pani Hubbard i wyprowadziła oszołomionego Murzyna z jadalni.

– Boże drogi – westchnęła głęboko pani Hubbard. – I po cóż ja brałam tę posadę!

Valerie, która jako jedyna została w jadalni, uśmiechnęła się ze zrozumieniem:

– Niech się pani nie martwi, mamciu. Dobrze się stało, że to wszystko wyszło na wierzch. Atmosfera była ostatnio zbyt nerwowa.

– Muszę przyznać, że jestem bardzo zdziwiona.

– Ponieważ się okazało, że to Celia?

– Tak, a ty nie?

Valerie odpowiedziała dość machinalnie:

– Chyba było to dość oczywiste, tak mi się wydawało.

– Cały czas tak ci się wydawało?

– Cóż, może to i owo budziło moje wątpliwości. W każdym razie zdobyła Colina.

– Tak. Nie umiem pozbyć się myśli, że to nieuczciwe.

– Nie da się zmusić chłopa pod groźbą pistoletu – zaśmiała się Valerie – ale pokaz kleptomanii załatwia sprawę? Proszę się nie martwić, mamo. I na miłość boską, niech pani sprawi, żeby Celia zwróciła Genevieve jej compact, bo nie będziemy mieli chwili spokoju podczas posiłków.

Pani Hubbard westchnęła:

– Spodeczek Nigela pęknięty, miseczka z marmoladą stłuczona.

– Cholerny poranek, co? – przytaknęła Valerie i wyszła.

Pani Hubbard usłyszała, jak mówi w holu pogodnym tonem:

– Dzień dobry, Celio. Droga wolna. Wszystko wiadome i wszystko zostanie wybaczone na rozkaz pobożnej Jean. Co do Colina, ryczał jak lew w twojej obronie.

Celia weszła do pokoju. Oczy miała zaczerwienione od płaczu:

– Och, pani Hubbard...

– Jesteś bardzo spóźniona, Celio. Kawa wystygła i niewiele zostało do zjedzenia.

– Nie chciałam się spotkać z nimi.

– Domyślam się. Ale będziesz musiała, prędzej czy później.

– O tak, wiem. Ale wydawało mi się, że... do wieczora... będzie mi łatwiej. I oczywiście nie zostanę tutaj. Wyprowadzę się pod koniec tygodnia.

Pani Hubbard nachmurzyła się:

– Nie sądzę, żeby to było potrzebne. Musisz się spodziewać drobnych nieprzyjemności – w końcu to ci się należy – ale ogólnie biorąc, są to wielkoduszni młodzi ludzie. Naturalnie będziesz musiała wyrównać straty w miarę możliwości...

Celia przerwała żywo: – Ależ tak. Przyniosłam książeczkę czekową. To jedna ze spraw, o których chciałam z panią pomówić – spuściła oczy. W ręce trzymała książeczkę czekową i kopertę. – Na wypadek, gdyby pani nie było, kiedy zejdę, napisałam do pani, jak bardzo mi przykro, i chciałam włożyć czek do koperty, żeby pani mogła rozliczyć się z nimi w moim imieniu, ale skończył mi się atrament w piórze.

– Będziemy musiały sporządzić listę.

– Zrobiłam to, ale nie wiem, czy mam spróbować odkupić te rzeczy, czy po prostu dać pieniądze.

– Przemyślę to. Trudno odpowiedzieć tak od razu.

– Proszę jednak przyjąć ode mnie czek już teraz. Będę się czuła znacznie lepiej.

Mając na końcu języka bezlitosne: „Rzeczywiście? A czemu to mam ci pomagać w uzyskaniu lepszego samopoczucia?" – pani Hubbard zreflektowała się, że ponieważ studentom zawsze brakuje gotówki, całą sprawę można najprościej załatwić w ten sposób. Uspokoi to także Genevieve, która w przeciwnym wypadku gotowa zrobić awanturę u pani Nicoletis. (Bez awantury z tej strony i tak się nie obejdzie).

– Dobrze – zgodziła się. Przebiegła oczyma listę przedmiotów. – Trudno tak z góry powiedzieć...

Celia zaproponowała gorliwie:

– Proszę przyjąć czek na tyle, na ile się pani z grubsza wydaje, a później, kiedy pani ustali z tamtymi, ja albo sobie część odbiorę, albo oddam pani.

– Doskonale – pani Hubbard wymieniła tytułem próby sumę,

która jej zdaniem zostawiała szeroki margines swobody. Celia zgodziła się od razu. Otworzyła książeczkę czekową.

– Do licha z tym moim piórem. – Podeszła do regału, gdzie studenci trzymali rozmaite drobiazgi. – Wygląda, że jest tu tylko ten okropny zielony atrament Nigela. Dobrze, wezmę go. Nigel nie będzie miał nic przeciwko temu. Muszę pamiętać i kupić nową butelkę zwykłego atramentu, kiedy wyjdę.

Napełniła pióro, wróciła i wypełniła czek. Wręczając go pani Hubbard, spojrzała przelotnie na zegarek.

– Spóźnię się. Nie będę już jadła śniadania.

– Lepiej zjedz coś, Celio. Choćby kawałek chleba z masłem. Nie powinno się wychodzić z pustym żołądkiem. Tak, o co chodzi?

Geronimo, włoski służący, wszedł do pokoju, żywo gestykulując. Jego pomarszczoną, małpią twarz wykrzywiał komiczny grymas.

– *La padrona* teraz idzie. Chcę widzieć z panią – dodał, wykonując wymowny gest. – Bardzo wściekła!

– Idę.

Pani Hubbard wyszła z jadalni, podczas gdy Celia zaczęła odkrawać kromkę chleba.

Pani Nicoletis spacerowała po pokoju, nieźle naśladując tygrysicę w zoo tuż przed porą karmienia.

– Co ja słyszę? – wybuchnęła. – Wzywa pani policję? Nie mówiąc mi ani słowa? Za kogo się pani uważa? Mój Boże, za kogo ta kobieta się uważa?

– Nie wzywałam policji.

– Pani kłamie.

– Pani Nicoletis, proszę w ten sposób do mnie nie mówić.

– O, nie! Oczywiście, skądże! To ja nie mam racji, a nie pani. Zawsze ja nie mam racji. Pani postępowanie jest zawsze nieskazitelne. Policja w moim cieszącym się znakomitą opinią pensjonacie!

– Nie byłby to pierwszy raz – odparła pani Hubbard, przypominając sobie różne niemiłe zajścia. – Mieliśmy tego studenta z Indii Zachodnich, poszukiwanego przez policję, jako że utrzymywał się z niemoralnego procederu, a także słynnego młodego agitatora komunistycznego, który zameldował się pod fałszywym nazwiskiem, jak również…

– Ach! Rzuca mi to pani w twarz? Czy to moja wina, że ludzie tu przychodzą, kłamią, mają fałszywe papiery i są poszukiwani przez policję jako świadkowie w sprawach o morderstwo? A pani robi mi wymówki z powodu tego, co musiałam przejść!

– Nic podobnego. Przypominam tylko, że wizyta policji nie byłaby specjalną nowością. Wydaje mi się to zresztą rzeczą nie do uniknięcia w tej przemieszanej grupie studentów. Ale jest faktem, że nikt nie „wezwał policji". Tak się zdarzyło, że prywatny detektyw, bardzo sławny, jadł u nas kolację wczoraj wieczorem jako mój gość. Wygłosił dla studentów bardzo interesującą pogadankę o kryminalistyce.

– Czyżby rzeczywiście naszym studentom konieczna była pogadanka o kryminalistyce? Już i tak wiedzą wystarczająco dużo. Wystarczająco, żeby kraść, niszczyć, sabotować jak im się żywnie podoba. I nic się z tym nie robi, absolutnie nic!

– Coś z tym właśnie próbowałam zrobić.

– O tak, opowiedziała pani temu swojemu przyjacielowi nasze najbardziej prywatne sprawy. To wielkie nadużycie zaufania.

– Bynajmniej. Odpowiadam za kierowanie tym zakładem. Cieszę się, że mogę pani powiedzieć, iż sprawa się wyjaśniła. Jedna ze studentek przyznała się do popełnienia większości z tych czynów.

– Wstrętna mała kocica! – krzyknęła pani Nicoletis. – Niech ją pani wyrzuci na ulicę.

– Gotowa jest wyprowadzić się z własnej woli i wyrównuje w pełni wszelkie straty.

– I co z tego? Mój śliczny dom dla studentów straci teraz dobre imię. Nikt nie będzie chciał tu mieszkać. – Pani Nicoletis usiadła na sofie i zalała się łzami. – Nikt nie zastanawia się nad tym, co ja czuję – szlochała. – To okropne, w jaki sposób mnie się traktuje. Pomija! Odsuwa na bok. Gdybym jutro miała umrzeć, kogo by to obeszło?

Pani Hubbard, zbyt mądra, by odpowiadać na to pytanie, wyszła z pokoju. „Oby Opatrzność dała mi cierpliwość", powiedziała do siebie i udała się do kuchni przepytać Marię. Kucharka czuła się urażona i trudno było z nią dojść do ładu. Słowo „policja", niewypowiedziane, wisiało w powietrzu.

– To mnie oskarżą, mnie i Geronima, *il povero*. Jakiej sprawiedliwości można oczekiwać w obcym kraju? Nie, nie mogę ugotować risotta, jak pani sobie życzy, bo przysłali zły ryż. Zamiast tego zrobię spaghetti.

– Spaghetti jedliśmy wczoraj.

– Nie szkodzi. W moim kraju jemy spaghetti codziennie, świątek czy piątek. Mączne potrawy są zawsze smaczne.

– Tak, ale teraz jest pani w Anglii.

– Doskonale, wobec tego zrobię gulasz. Gulasz po angielsku. Nie będzie wam smakował, ale go zrobię: wodnisty, z cebulką ugotowaną w dużej ilości wody, zamiast smażoną na oleju i bladym mięsem na pokruszonych kościach.

Mówiła to z taką groźbą w głosie, iż pani Hubbard odnosiła wrażenie, że słucha relacji o morderstwie.

– Niech pani gotuje, co pani chce – odpowiedziała z irytacją i wyszła z kuchni.

O godzinie szóstej tego wieczoru pani Hubbard znowu była w pełni sobą. Zostawiła w pokojach wszystkich lokatorów zawiadomienia, by przyszli zobaczyć się z nią przed obiadem, a kiedy stawili się w wyniku owych wezwań, wyjaśniła, iż Celia prosiła ją o załatwienie sprawy. Wszyscy, zdaniem pani Hubbard, zareagowali bardzo pozytywnie. Nawet Genevieve, udobruchana hojną wyceną swojej puderniczki, oświadczyła pogodnie, że wszystko będzie *sans rancune*, bez urazy, i dodała przemądrzale: – Wiadomo, że takie kryzysy nerwowe się zdarzają. Ona jest bogata, ta Celia, nie potrzebuje kraść. Nie, to burza w jej głowie. *monsieur* McNabb ma co do tego rację.

Kiedy pani Hubbard po uderzeniu gongu schodziła na kolację, zatrzymał ją Len Bateson.

– Zaczekam na Celię w holu – powiedział – i wprowadzę ją, tak żeby widziała, że wszystko w porządku.

– To bardzo ładnie z twojej strony, Len.

– W porządku, mamciu.

W pewnym momencie, kiedy roznoszono zupę, rozległ się w holu potężny głos Lena:

– Chodź, Celia. Sami przyjaciele.

Nigel zwierzył się z rozdrażnieniem swojemu talerzowi zupy: „Zaliczył swój dobry uczynek na dzień dzisiejszy”, poza tym jednak trzymał język za zębami i machnął Celii ręką na powitanie, kiedy weszła otoczona ramieniem Lena.

Nastąpił nagły wybuch ożywionej ogólnej rozmowy na różne tematy, podczas której parę osób zwracało się bezpośrednio do Celii. Jak było do przewidzenia, po owym pokazie dobrej woli zapadło ciężkie milczenie. Wtedy właśnie Akibombo zwrócił w kierunku Celii rozpromienioną twarz i przechylając się przez stół zawołał:

– Wyjaśniono mi już teraz dobrze wszystko, czego nie rozumiałem. Ty bardzo mądrze kraść. Długo nikt nie wiedział. Bardzo mądrze.

W tym momencie Sally wydusiwszy: – Akibombo, ty mnie wpędzisz do grobu – zakrztusiła się tak gwałtownie, że musiała wybiec do holu, żeby dojść do siebie. Gromki śmiech w naturalny sposób rozładował sytuację przy stole.

Colin McNabb zjawił się późno. Zachowywał się powściągliwie i był jeszcze mniej rozmowny niż zwykle. Pod koniec posiłku, zanim inni skończyli jeść, wstał i wymruczał z zażenowaniem:

– Muszę wyjść spotkać się z kimś. Chciałem powiedzieć wam najpierw: Celia i ja... mamy nadzieję pobrać się w przyszłym roku, kiedy ukończę mój kurs.

Zarumieniony i nieszczęśliwy wysłuchał gratulacji i żartobliwych docinków przyjaciół, po czym wymknął się, zupełnie oszołomiony. Celia, przeciwnie, była swobodna i opanowana.

– Następny porządny facet na stracenie – westchnął Len Bateson.

– Tak się cieszę, Celio – powiedziała Patricia. – Mam nadzieję, że będziecie bardzo szczęśliwi.

– Wszystko w ogrodzie znowu w pełnej krasie – skomentował Nigel. – Jutro przyniesiemy chianti i wypijemy za wasze zdrowie. Czemuż to nasza kochana Jean spogląda tak ponuro? Nie pochwalasz małżeństwa, Jean?

– Przeciwnie, Nigel.

– Wydaje mi się zawsze o wiele lepszym rozwiązaniem od wolnej miłości. Przynajmniej dla dzieci. Ich paszporty prezentują się korzystniej.

– Ale matka nie powinna być za młoda – wtrąciła Genevieve. – Tak mówią medykom na ćwiczeniach z fizjologii.

– Moja droga – odparł Nigel. – Nie chcesz chyba przez to powiedzieć, że Celia jest niepełnoletnia, albo coś w tym rodzaju? Jest wolna, biała i ukończyła 21 lat.

– To stwierdzenie – oświadczył Chandra Lal – uważam za obraźliwe w najwyższym stopniu.

– Nie, nie, panie Chandra Lal – pospieszyła z wyjaśnieniem Patricia. – To tylko takie powiedzonko, które nic nie znaczy.

– Nie rozumiem – zaniepokoił się Akibombo. – Jeżeli coś nic nie znaczy, to po co to mówić?

Elisabeth Johnston odezwała się nagle, podnosząc z lekka głos:

– Czasami mówi się coś, co pozornie nic nie znaczy, a tymczasem znaczyć może bardzo dużo. Nie chodzi mi bynajmniej o ten „amerykański" cytat Nigela. Mówię o czymś innym – objęła spojrzeniem stół. – Mówię o tym, co wydarzyło się wczoraj.

Valerie powiedziała ostro:

– Co masz na myśli, Bess?

– Och, proszę was – zawołała Celia. – Myślę... jestem pewna, że do jutra wszystko się wyjaśni. Naprawdę tak sądzę. Atrament na twoich notatkach i ta głupia historia z plecakiem. I jeżeli... jeżeli ta osoba się przyzna, tak jak ja to zrobiłam, wtedy wszystko będzie już załatwione.

Mówiła z zarumienioną twarzą i takim żarem, że parę osób przyjrzało jej się ciekawie.

Valerie parsknęła śmiechem:

– I odtąd wszyscy będziemy żyli szczęśliwie.

Wstali od stołu i przeszli do salonu. Wywiązało się coś w rodzaju współzawodnictwa, kto ma podać Celii kawę. Po czym nastawiono radio, kilkoro studentów wyszło na spotkania albo do swoich zajęć, a w końcu wszyscy mieszkańcy Hickory Road 24 i 26 udali się na spoczynek.

„Był to – pomyślała pani Hubbard, z ulgą wsuwając się między prześcieradła – długi, męczący dzień. Chwała Bogu, wszystko to mamy już za sobą".

Rozdział VII

Panna Lemon spóźniała się rzadko, jeśli w ogóle. Mgła, burza, epidemia grypy, zakłócenia w komunikacji – wydawało się, że nic nie jest w stanie przeszkodzić owej niezwykłej kobiecie. Tego ranka jednak panna Lemon zjawiła się bez tchu pięć po dziesiątej zamiast punktualnie o dziesiątej. Tłumaczyła się gęsto i robiła wrażenie wzburzonej.

– Bardzo przepraszam, *monsieur* Poirot, naprawdę bardzo przepraszam. Miałam właśnie wychodzić, kiedy zadzwoniła siostra.

– Ach tak. Ufam, że jest w dobrym zdrowiu i nastroju?

– Jeżeli mam być szczera, to nie.

Poirot spojrzał pytająco.

– Prawdę mówiąc, jest ogromnie zdenerwowana. Jedna ze studentek popełniła samobójstwo.

Poirot patrzył na nią uważnie. Mruknął coś cicho do siebie.

– Co pan mówi, *monsieur* Poirot?

– Jak się nazywa ta studentka?

– Celia Austin.

– W jaki sposób?

– Uważają, że wzięła morfinę.

– Czy mógł to być wypadek?

– Nie. Podobno zostawiła list.

Poirot powiedział cicho: – Nie tego się spodziewałem, nie, nie tego... a jednak to prawda, czegoś się spodziewałem.

Podniósłszy wzrok, zobaczył pannę Lemon w gotowości bojowej z ołówkiem wycelowanym w notatnik. Westchnął i potrząsnął głową.

– Nie, przekażę pani poranną pocztę. Proszę ją posegregować i odpowiedzieć, na co będzie pani mogła. Co do mnie, udaję się na Hickory Road.

Geronimo otworzył i, poznawszy honorowego gościa sprzed dwóch dni, od razu stał się rozmowny, zniżając głos do konspiratorskiego szeptu:

– Ach, *signor*, to pan. Mamy to nieszczęście, wielkie nieszczęście. Mała *signorina* martwa w swoim łóżku dziś rano. Najpierw doktor przychodzi. Kiwa głową. Potem inspektor policji przychodzi. Jest na górze z *signorą* i *padroną*. Dlaczego ona chce się zabić, *la poverina*? Kiedy wczoraj wieczorem jest tak wesoło i są zaręczyny?

– Zaręczyny?

– *Si, si.* Z panem Colinem, wie pan, wysoki brunet, zawsze pali fajkę.

– Wiem.

Geronimo otworzył drzwi salonu i wprowadził Poirota, z podwójną gorliwością odgrywając rolę konspiratora.

– Pan tu zostaje, tak? Zaraz kiedy pójdzie policja, powiem *signorze*, że pan tu jest. Tak jest dobrze, tak?

Poirot powiedział, że tak jest dobrze, i Geronimo wyszedł. Pozostawiony sam sobie, Poirot, nie krępując się względami delikatności, możliwie najdokładniej przeszukał cały pokój, szczególną uwagę poświęcając wszystkim przedmiotom należącym do lokatorów. Wynik tych poszukiwań okazał się mizerny. Studenci trzymali większość swoich osobistych rzeczy i papierów w sypialniach.

Na górze pani Hubbard siedziała naprzeciw inspektora Sharpe'a, który cichym, przepraszającym tonem zadawał pytania. Był dużym mężczyzną o sympatycznej powierzchowności i złudnie łagodnym sposobie bycia.

– Bardzo to dla pani przykre i denerwujące – mówił uspokajająco – ale widzi pani, jak już powiedział doktor Coles, trzeba będzie przeprowadzić śledztwo, musimy więc mieć, by tak rzec, właściwy obraz. Powiada pani, że ta dziewczyna była ostatnio zdenerwowana i przygnębiona? Sprawy miłosne?

– Niekoniecznie – pani Hubbard się zawahała.

– Lepiej, żeby mi pani powiedziała – zauważył łagodnie. – Jak mówię, musimy uzyskać pogląd. Miała powód, czy też uważała, że ma, aby odbierać sobie życie? Czy istnieje jakakolwiek możliwość, że była w ciąży?

– Nic podobnego nie wchodziło w grę. Zawahałam się, panie inspektorze, ponieważ ta mała narobiła trochę głupstw i miałam nadzieję, że nie trzeba będzie o nich wspominać.

Inspektor Sharpe odkaszlnął:

– Potrafimy być dyskretni, a koroner jest człowiekiem bardzo doświadczonym. Musimy jednak wiedzieć.

– Tak, oczywiście. Byłam niemądra. Prawda wygląda tak, że od jakiegoś czasu, od trzech miesięcy, może więcej, ginęły pewne przedmioty, drobiazgi, nic poważnego.

– Ma pani na myśli błyskotki, ozdoby, nylonowe pończochy i tym podobne? Także pieniądze?

– O ile wiem, pieniądze nie.

– Rozumiem. I winna była ta dziewczyna?

– Tak.

– Złapała ją pani na tym?

– Niezupełnie. Przedwczoraj wieczór mój... hm... znajomy przyszedł na kolację. Niejaki *monsieur* Herkules Poirot, nie wiem, czy to nazwisko panu coś mówi.

Inspektor Sharpe spojrzał znad notatnika, otwierając dość szeroko oczy. Przypadkiem to nazwisko coś mu mówiło.

– *Monsieur* Herkules Poirot? – zapytał. – Naprawdę. Bardzo to interesujące.

– Wygłosił małą pogadankę po kolacji i tak wypłynął temat tych kradzieży. *Monsieur* Poirot poradził mi, w obecności wszystkich, zwrócić się do policji.

– Istotnie tak pani poradził?

– Potem Celia przyszła do mnie do pokoju i przyznała się. Była bardzo zdenerwowana.

– Obawiała się konsekwencji prawnych?

– Nie. Miała wyrównać straty, a wszyscy odnieśli się do niej bardzo miło.

– Była w trudnej sytuacji materialnej?

– Nie. Zarabiała przyzwoicie jako pomoc aptekarska w szpitalu św. Katarzyny, a także chyba miała trochę własnych pieniędzy. Prawdę mówiąc, była w lepszej sytuacji materialnej niż większość naszych lokatorów.

– Zatem nie miała potrzeby kraść, a jednak kradła – podsumował inspektor, zapisując to w notatniku.

– Pewnie to kleptomania – powiedziała pani Hubbard.

– Tak, takiego określenia się używa. Mnie po prostu chodzi o osobę, która nie musi zabierać cudzych rzeczy, a jednak to robi.

– Nie wiem, czy nie jest pan trochę niesprawiedliwy wobec niej. Widzi pan, pewien młody człowiek...

– Puścił ją kantem?

– O nie! Wręcz przeciwnie. Przemawiał bardzo mocno w jej obronie i wczoraj wieczór po kolacji ogłosił ich zaręczyny.

Brwi inspektora Sharpe'a uniosły się, sygnalizując zdziwienie.

– I ona potem kładzie się do łóżka i zażywa morfinę? To dosyć dziwne, nie?

– Tak, nie mogę tego zrozumieć. Na twarzy pani Hubbard malowały się zatroskanie i niepokój.

– A jednak fakty są dostatecznie jasne – Sharpe ruchem głowy wskazał niewielki, najwyraźniej oderwany z arkusza kawałek papieru, leżący między nimi na stole.

Droga pani Hubbard – było na nim napisane – *Naprawdę jest mi bardzo przykro i uważam, że to najlepsze, co mogę zrobić.*

– Jest niepodpisany, ale pani nie ma wątpliwości, że to jej pismo?

– Nie mam.

Pani Hubbard powiedziała to dość niepewnie i zachmurzyła się, rzuciwszy okiem na skrawek papieru. Dlaczego doznawała tak silnego uczucia, że coś jest nie w porządku?

– Znajduje się tu jeden wyraźny odcisk palca, na pewno należący do zmarłej – ciągnął inspektor. – Morfina była w małej flaszeczce z nalepką szpitala św. Katarzyny, a jak mi pani mówi, ona pracowała w tamtejszej aptece. Miała dostęp do szafki z truciznami i stamtąd prawdopodobnie wzięła tę buteleczkę. Najpewniej przyniosła ją ze sobą do domu wczoraj, planując popełnienie samobójstwa.

– Naprawdę nie mogę w to uwierzyć. Wydaje mi się to jakoś dziwne. Wczoraj wieczorem była taka szczęśliwa.

– Musimy więc przypuszczać, że nastąpiła reakcja, kiedy położyła się do łóżka. Może w jej przeszłości było coś, o czym pani nie wiedziała. Może bała się, że to się wyda. Czy, pani zdaniem, była bardzo zakochana w tym młodym człowieku, nawiasem mówiąc, jak on się nazywa?

– Colin McNabb. Robi kurs podyplomowy u św. Katarzyny.

– Lekarz. Hm. I u św. Katarzyny?

– Celia była w nim bardzo zakochana. Powiedziałabym, że bardziej niż on w niej. To dość egocentryczny młody człowiek.

– Zatem tu jest prawdopodobnie wyjaśnienie. Nie czuła się go warta albo też nie powiedziała mu wszystkiego, co powinna. Była młoda, prawda?

– Miała dwadzieścia trzy lata.
– W tym wieku jest się nastawionym idealistycznie i bierze sprawy miłosne bardzo poważnie. Tak, obawiam się, że o to chodzi. Szkoda.
Wstał: – Niestety fakty będą musiały zostać ujawnione, ale zrobimy, co się da, żeby sprawę zatuszować. Dziękuję pani. Teraz jestem już w posiadaniu wszystkich potrzebnych mi informacji. Jej matka zmarła dwa lata temu, a jedyną krewną, o której pani wiadomo, jest stara ciotka w Yorkshire. Skontaktujemy się z nią.
Wziął ze stołu kawałek papieru, na którym Celia skreśliła owych parę gorączkowych słów.
– Coś mi się tu nie zgadza – powiedziała nagle pani Hubbard.
– Nie zgadza się? W jakim sensie?
– Nie wiem, ale czuję, że powinnam wiedzieć. O Boże drogi.
– Czy pani jest całkowicie pewna, że to pismo panny Austin?
– Tak, absolutnie. Nie o to chodzi – przycisnęła dłońmi oczy. – Czuję się dzisiaj tak strasznie źle – wyznała przepraszająco.
– Wszystko to było dla pani bardzo denerwujące, wiem – ton inspektora był łagodny i współczujący. – Nie sądzę, żebyśmy musieli niepokoić panią dłużej w tej chwili.
Otworzył drzwi i natychmiast wpadł na Geronima, przyciśniętego do nich po drugiej stronie.
– Hallo – powiedział uprzejmie. – Podsłuchujemy pod drzwiami, co?
– Nie, nie. – Twarz Geronima przybrała wyraz obrażonej niewinności. – Ja nie podsłuchuję, nigdy, przenigdy. Idę właśnie z wiadomością.
– Rozumiem. A co to za wiadomość?
Nadąsany Geronimo odpowiedział:
– Tylko że jest pan na dole zobaczyć się *la signora* Hubbard.
– W porządku. Idź, synu, i powiedz jej.
Minął Geronima i ruszył korytarzem, po czym biorąc przykład z Włocha, wykonał w tył zwrot i na palcach podszedł bezszelestnie pod drzwi: „Lepiej wiedzieć, czy ta małpia gęba powiedziała prawdę".
Dotarł na czas, żeby usłyszeć, jak Geronimo mówi:
– Pan, który był na kolacji przedwczoraj, pan z wąsami, na dole czeka na panią.

– Co takiego? – spytała pani Hubbard z wyraźnym roztargnieniem. – Ach tak. Dziękuję, Geronimo. Zejdę za parę minut.

– Pan z wąsami, proszę, proszę – mruknął do siebie Sharpe, uśmiechając się szelmowsko. – Założę się, że wiem, kto to.

Zszedł na dół do salonu:

– Hallo, *monsieur* Poirot! Dawnośmy się nie widzieli.

Poirot, nie robiąc wrażenia zmieszanego, podniósł się z klęczek przy dolnej półce regału, który stał w pobliżu kominka.

– Aa – powiedział. – Ależ to chyba... tak jest, inspektor Sharpe, nieprawdaż? Ale poprzednio nie był pan chyba w tym wydziale?

– Przeniesiono mnie dwa lata temu. Pamięta pan tę sprawę w Crays Hill?

– Racja. To już dawne czasy. Wciąż jest pan młodym człowiekiem, inspektorze...

– Posuwam się, posuwam.

–... a ja jestem stary. Co robić! – westchnął Poirot.

– Ale wciąż aktywny, *monsieur* Poirot. Aktywny w pewnych dziedzinach, chyba tak możemy to określić.

– Do czego pan zmierza?

– Chciałbym się na przykład dowiedzieć, czemu przyszedł pan tu przedwczoraj wygłosić studentom pogadankę na temat kryminalistyki.

Poirot uśmiechnął się.

– Ależ wyjaśnienie jest bardzo proste. Zatrudniona tu pani Hubbard jest siostrą mojej nieocenionej sekretarki, panny Lemon. Kiedy więc mnie poprosiła...

– Kiedy pana poprosiła, by przypatrzył się pan temu, co się tu dzieje, przyszedł pan. O to przecież chodziło, czyż nie tak?

– Ma pan całkowitą słuszność.

– Ale dlaczego? Właśnie to chciałbym wiedzieć. Co to mogło pana obchodzić?

– Pyta pan, co mogło być w tym dla mnie interesującego?

– Dokładnie. Głupia mała zwędziła kilka drobiazgów. Wielkie rzeczy. Nie pański kaliber, *monsieur* Poirot.

Poirot potrząsnął głową.

– Nie takie to proste.

– Czemu? Co w tym skomplikowanego?

Poirot siadł na krześle. Zmarszczywszy lekko brwi, otrzepywał kolana z kurzu.

– Żebym to wiedział – odparł po prostu.

Teraz Sharpe się nachmurzył:

– Nie rozumiem.

– Ani ja. Te zabrane przedmioty... – potrząsnął głową – nie układają się we wzór. Nie widać żadnego sensu. To tak, jakby zobaczyć trop, który tworzą ślady różnych stóp. Można zdecydowanie wyróżnić tu ślady „głupiej małej", jak ją pan nazwał, ale to nie wszystko. Zaszły inne wydarzenia, które miały pasować do tego wzoru wskazującego na Celię Austin, ale nie pasują. Są pozbawione znaczenia, pozornie bezcelowe. Świadczą również o złośliwości. A Celia nie była złośliwa.

– Była kleptomanką?

– Bardzo wątpię.

– Po prostu drobną złodziejką?

– Nie w tym sensie, o jakim pan myśli. Jeśli chce pan znać moje zdanie, buchnęła te wszystkie drobiazgi tylko i wyłącznie po to, żeby zwrócić uwagę pewnego młodego człowieka.

– Colina McNabba?

– Tak jest. Była rozpaczliwie zakochana w Colinie McNabbie. A Colin jej w ogóle nie dostrzegał. Zamiast pozostać miłą, ładną, dobrze wychowaną dziewczyną, zrobiła z siebie interesującą, młodą przestępczynię. Dopięła swego. Colin McNabb natychmiast się w niej zakochał, jak to mówią, po uszy.

– Musi być kompletnym idiotą.

– Bynajmniej. Jest zapalonym psychologiem.

– O Boże – jęknął inspektor Sharpe. – Jeden z tych. Teraz rozumiem. – Uśmiechnął się pod nosem. – Wcale sprytnie to sobie obmyśliła.

– Zadziwiająco sprytnie.

Poirot powtórzył w zamyśleniu: – Tak, zadziwiająco sprytnie.

Inspektor Sharpe spojrzał bystro:

– Co pan przez to rozumie, *monsieur* Poirot?

– Po prostu się zastanawiam, wciąż się zastanawiam, czy ktoś jej nie podsunął tego pomysłu?

– Po co?

– Bo ja wiem? Z dobrego serca? W jakichś ukrytych zamiarach? Błądzimy w ciemnościach.

– Ma pan jakieś podejrzenia, kto ewentualnie mógłby jej to zasugerować?

– Nie... chyba że... ale nie...

– Mimo wszystko – głośno rozważał Sharpe – nie do końca rozumiem. Jeśli chciała jedynie wypróbować, czy udawanie kleptomanki pomoże jej osiągnąć cel i ten cel osiągnęła, to po kiego diabła popełniała samobójstwo?

– Odpowiedź brzmi, że nie powinna była popełniać samobójstwa.

Obydwaj mężczyźni popatrzyli na siebie, a Poirot mruknął:

– Jest pan całkowicie pewny, że popełniła?

– To jasne jak słońce, *monsieur* Poirot. Nie ma powodu przypuszczać inaczej i...

Drzwi się otworzyły i weszła pani Hubbard. Na twarzy miała rumieńce i wyraz satysfakcji. Wojowniczo wysunęła podbródek.

– Mam – oznajmiła triumfalnie. – Dzień dobry, *monsieur* Poirot. Mam, panie inspektorze. Nagle sobie uświadomiłam. Uświadomiłam sobie, dlaczego coś mi się nie zgadza w tym samobójczym liście. Celia nie mogła napisać go wieczorem.

– Dlaczego pani tak uważa?

– Bo napisany jest zwykłym granatowym atramentem. A Celia napełniła pióro zielonym atramentem, tym, który stoi tam – ruchem głowy wskazała regał. – Zrobiła to przy śniadaniu wczoraj rano.

Inspektor Sharpe, nie całkiem ten sam inspektor Sharpe, wrócił do salonu, który opuścił pospiesznie po oświadczeniu pani Hubbard.

– Ma pani rację – powiedział. – Sprawdziłem. Jedyne pióro u niej w pokoju, pióro, które leżało obok łóżka, napełnione jest zielonym atramentem. A ten zielony atrament...

Pani Hubbard uniosła prawie pustą butelkę.

Następnie opisała, jasno i zwięźle, scenę przy śniadaniu.

– Jestem pewna – zakończyła – że ten kawałek papieru został oderwany od listu, który napisała do mnie wczoraj rano i którego nigdy nie otrzymałam.

– Co z nim zrobiła? Pamięta pani?

Pani Hubbard potrząsnęła głową.

– Zostawiłam ją samą w tym pokoju i poszłam do moich zajęć. Musiała, tak myślę, gdzieś tu go zostawić i zapomnieć o nim.

– A ktoś go znalazł... i otworzył... ktoś...

Urwał.

– Zdajecie sobie sprawę – kontynuował po chwili – co to znaczy? Od początku niezbyt mi się podobał ten oderwany kawałek. W jej pokoju znalazłem spory plik arkuszy papieru listowego. Byłoby o wiele naturalniej napisać samobójczy list na którymś z nich. To znaczy, że ktoś dostrzegł możliwość posłużenia się pierwszym zdaniem jej listu do pani... żeby zasugerować samobójstwo...

Przerwał, a potem dodał powoli: – To oznacza...

– Morderstwo – powiedział Herkules Poirot.

Rozdział VIII

Osobiście Poirot nie był zwolennikiem ceremoniału five o'clock, uważając, że psuje rozkosz delektowania się w pełni najwspanialszym posiłkiem dnia, kolacją, przywykł jednak do tego z czasem.

Niezawodny George tym razem przygotował duże filiżanki, czajnik naprawdę mocnej indyjskiej herbaty oraz, poza gorącymi i ociekającymi masłem placuszkami, chleb i dżem, a także spory kwadrat placka ze śliwkami.

Wszystko po to, by sprawić radość podniebieniu inspektora Sharpe'a, który wygodnie rozparty w fotelu popijał małymi łykami trzecią filiżankę herbaty.

– Nie ma mi pan za złe, że tak się wprosiłem, *monsieur* Poirot? Mam wolną godzinę, zanim studenci zaczną się schodzić. Chciałbym przesłuchać każdego z nich i szczerze mówiąc nie jest to zadanie, które napełnia mnie zachwytem. Pan poznał kilkoro z nich przedwczoraj wieczorem i tak sobie myślę, że może by mnie pan trochę oświecił, przynajmniej w kwestii cudzoziemców.

– Sądzi pan, że jestem znawcą cudzoziemców? Ale, *mon cher*, nie było wśród nich Belgów.

– Nie było Belgów? Ach, rozumiem, co pan ma na myśli. Chodzi panu o to, że skoro pan jest Belgiem, pozostałe narodowości są dla pana równie obce, jak dla mnie. Ale to chyba nie całkiem tak. Uważam, że pan lepiej potrafi ocenić tych z kontynentu europejskiego niż ja. Hindusów, mieszkańców Afryki Zachodniej i tym podobnych biorę na siebie.

– Najbardziej pomocna będzie panu pani Hubbard. Spędziła kilka miesięcy w bliskim kontakcie z tą młodzieżą, a jest niezłym sędzią natury ludzkiej.

– Tak, to bardzo rzeczowa kobieta. Polegam na niej. Będę musiał zobaczyć się także z właścicielką pensjonatu. Nie było jej dziś rano. Podobno posiada kilka takich zakładów, a także klubów studenckich. Chyba nie jest zbyt lubiana.

Poirot milczał przez chwilę, a następnie zapytał:

– Czy był pan w szpitalu św. Katarzyny?

– Tak. Kierownik apteki ogromnie mi pomógł. Był wstrząśnięty i bardzo zmartwiony tą wiadomością.

– Co mówił o dziewczynie?

– Pracowała nieco ponad rok i cieszyła się ogólną sympatią. Opisał ją jako dość powolną, ale bardzo obowiązkową. – Przerwał, po czym dodał: – Nie ma wątpliwości, że morfina pochodziła stamtąd.

– Co pan mówi? To interesujące, ale dość dziwne.

– Była to morfina w proszku. Trzymana w szafce z truciznami, na górnej półce, pośród leków rzadko używanych. W powszechnym użyciu są oczywiście rozpuszczalne tabletki, chyba też częściej stosuje się morfinę w ampułkach niż w proszku. Wydaje się, że stosowanie leków podlega modzie, jak wszystko inne. Lekarze owczym pędem zapisują takie, a nie inne specyfiki. Kierownik już tego nie mówił. To moja własna refleksja. W tej szafce na górnej półce znajdują się lekarstwa niegdyś bardzo popularne, ale obecnie od lat niezapisywane.

– Tak więc brak jednej małej zakurzonej flaszeczki mógł nie od razu zostać zauważony.

– Istotnie. Odnawianie zapasów odbywa się w regularnych odstępach czasu. Od dawna nikt nie pamięta tam żadnej recepty na morfinę w proszku. Brak buteleczki pozostałby niezauważony, dopóki nie okazałaby się potrzebna, albo dopóki nie zrobiliby inwentaryzacji.

Wszystkie trzy pracownice miały klucze do szafki z trucizną i do szafki z niebezpiecznymi lekami. Szafki te otwiera się teoretycznie w razie potrzeby, ale kiedy jest ruch (to znaczy praktycznie co dzień), do szafek sięga się co parę minut i pozostają otwarte do końca pracy.

– Kto miał do nich dostęp oprócz samej Celii?

– Dwie inne aptekarki, jak wspomniałem, ale one nie są w żaden sposób związane z Hickory Road. Jedna pracuje cztery lata, druga przyszła dopiero parę tygodni temu, przedtem była w szpitalu w Devon. Dobre referencje. Poza tym jest troje farmaceutów zatrudnionych u św. Katarzyny od lat. Te wszystkie osoby mają, jak można by to określić, legalny i naturalny dostęp do szafki. Jest jeszcze stara kobieta, która szoruje podłogi między dziewiątą a dziesiątą rano. Teoretycznie mogłaby chwycić tę czy inną butelkę z szafki, kiedy dziewczęta przez okienka obsługują pacjentów z ambulatorium albo przygotowują koszyki z lekami na oddziały, pracuje jednak w szpitalu od wielu lat i wydaje się to mało prawdopodobne. Laborant wchodzi i wychodzi z podstawowymi lekami i też mógłby ściągnąć butelkę, gdyby poczekał na okazję, ale nic podobnego nie wydaje się wchodzić w rachubę.

– Czy jacyś obcy kręcą się po aptece?

– Całkiem sporo, z takiego czy innego powodu. Na przykład przechodzą przez aptekę interesanci do biura kierownika albo komiwojażerowie z dużych hurtowni lekarstw udają się tamtędy do działu produkcji. Wreszcie, rzecz jasna, od czasu do czasu wpadają znajomi zobaczyć się z którąś z dziewcząt. Nie jest to regułą, ale zdarza się.

– To bardziej ciekawe. Kto ostatnio odwiedził Celię Austin?

– Dziewczyna nazwiskiem Patricia Lane przyszła we wtorek w zeszłym tygodniu. Chciała umówić się z Celią do kina po zamknięciu apteki.

– Patricia Lane – powtórzył Poirot w zamyśleniu.

– Przebywała tam zaledwie z pięć minut, nie podchodziła do szafki u truciznami, ale stała cały czas przy okienkach, rozmawiając z Celią i drugą dziewczyną. Zapamiętano także kolorową dziewczynę – było to ze dwa tygodnie temu – dziewczynę niezwykle inteligentną, jak mi powiedziano. Interesowała się pracą, zadawała pytania, robiła notatki. Mówiła znakomicie po angielsku.

– To musiała być Elizabeth Johnston. Interesowała się pracą, tak?
– Było to jedno z tych popołudni, kiedy szpital udziela darmowych porad i prowadzi nieodpłatną sprzedaż leków. Interesowała ją organizacja podobnych akcji, pytała również, co zapisuje się na takie dolegliwości, jak biegunka u niemowląt i infekcje skórne.
Poirot skinął głową.
– Ktoś jeszcze?
– Nie zapamiętano nikogo więcej.
– Czy lekarze przychodzą do apteki?
Sharpe uśmiechnął się porozumiewawczo.
– Cały czas. Oficjalnie i nieoficjalnie. Czasami spytać o jakąś konkretną recepturę, a czasami zobaczyć, co jest na składzie.
– Zobaczyć, co jest na składzie?
– Tak, pomyślałem o tym. Niekiedy proszą o radę, jaki środek zastępczy znaleźć dla preparatu, który podrażnia skórę pacjenta albo nadmiernie zakłóca proces trawienny. Czasami lekarz zajdzie po prostu na pogawędkę – taka chwila relaksu. Wielu młodych przychodzi po veganinę lub aspirynę, kiedy mają kaca. No, a czasem żeby poflirtować z którąś z dziewczyn, jeśli nadarzy się okazja. Natura ludzka zawsze pozostanie naturą ludzką. Sam pan widzi – szukamy igły w stogu siana.
– O ile dobrze pamiętam – powiedział Poirot – kilkoro studentów z Hickory Road jest czasowo, zatrudnionych w szpitalu św. Katarzyny: wysoki rudy chłopak – Bates... Bateman...
– Leonard Bateson. Owszem. Także Colin McNabb odbywa tam kurs podyplomowy. Jedna z dziewcząt, Jean Tomlinson, pracuje na oddziale fizjoterapii.
– I wszyscy oni prawdopodobnie dość często bywają w aptece?
– Tak, a co więcej, nikt nie pamięta kiedy, ponieważ wszyscy do nich przywykli i znają ich z widzenia. Jean Tomlinson będąc koleżanką głównej aptekarki...
– Tak, proste to nie jest – zauważył Poirot.
– Ba! Widzi pan, każdy z personelu mógł zajrzeć do szafki z trucizną i zapytać: „Po co, u licha, trzymacie takie ilości Liquor arsenicalis", czy coś w tym rodzaju. „Nie wiedziałem, że ktoś tego jeszcze dzisiaj używa". I nikt by się nawet nad tym nie zastanawiał ani tego nie zapamiętał.

Sharpe zamilkł, a po chwili powiedział:

– Zakładamy, że ktoś dał Celii Austin morfinę, a potem zostawił buteleczkę po morfinie i oderwany kawałek listu w jej pokoju, żeby wyglądało to na samobójstwo. Ale dlaczego, *monsieur* Poirot? Dlaczego?

Poirot potrząsnął głową. Sharpe kontynuował:

– Dziś rano napomknął pan, że ktoś mógł podsunąć Celii pomysł z kleptomanią.

Poirot poruszył się niespokojnie:

– Tak mi to tylko przyszło do głowy. Po prostu wydaje się wątpliwe, żeby sama potrafiła wymyślić coś podobnego.

– Więc kto?

– Wszystko, co mogę powiedzieć, to że troje studentów byłoby zdolnych wpaść na taki pomysł. Leonard Bateson ma potrzebną wiedzę. Zdaje sobie sprawę z bzika Colina na punkcie „nieprzystosowanych osobowości". Mógł do czegoś takiego skłonić Celię, traktując to raczej jako żart, i przygotować ją do jej roli. Ale nie mogę sobie wyobrazić, żeby knuł to miesiącami, chyba że miałby ukryty motyw, albo że jest zupełnie inny niż się wydaje (z tym zawsze trzeba się liczyć). Nigel Chapman uwielbia prowokacje i jest dosyć złośliwy. Uważałby to za świetną zabawę i w moim pojęciu nie miałby żadnych skrupułów. Jest swego rodzaju dorosłym *enfant terrible*. Trzecia osoba, o której myślę, to młoda kobieta nazwiskiem Valerie Hobhouse. Inteligentna, o nowoczesnych poglądach i wychowaniu, zapewne dostatecznie dużo przeczytała z psychologii, żeby przewidzieć prawdopodobną reakcję Colina. Jeśli darzyła Celię sympatią, mogła uznać wystrychnięcie Colina na dudka za doskonały żart.

– Leonard Bateson, Nigel Chapman, Valerie Hobhouse – wyliczał Sharpe, zapisując nazwiska. – Dziękuję panu. Będę pamiętał o tym zadając pytania. A Hindusi? Jeden jest studentem medycyny.

– Jego umysł zajmują bez reszty polityka i mania prześladowcza – odparł Poirot. – Nie sądzę, żeby zawracał sobie głowę nakłanianiem Celii do udawania kleptomanii, ani też by ona posłuchała akurat jego rady.

– To wszystko, w czym może mi pan pomóc, *monsieur* Poirot? – Sharpe podniósł się i schował notatnik.

– Obawiam się, że tak. Ale czuję się osobiście zainteresowany, to jest, jeśli pan nie ma nic przeciwko temu, przyjacielu?

– Absolutnie nic. Dlaczegóż miałbym mieć?

– Na swój własny amatorski sposób zrobię, co będę mógł. Dla mnie, uważam, jest tylko jedna metoda postępowania.

– Mianowicie?

Poirot westchnął:

– Rozmowa, przyjacielu. Rozmowa i jeszcze raz rozmowa. Wszyscy mordercy, z jakimi się zetknąłem, lubili mówić. W moim przekonaniu silny, milczący mężczyzna rzadko kiedy popełnia zbrodnię, a jeśli już, będzie to zbrodnia prosta, gwałtowna, niepozostawiająca wątpliwości. Ale nasz sprytny, subtelny morderca jest z siebie tak zadowolony, że prędzej czy później chlapnie coś niezręcznie i ściągnie na siebie podejrzenia. Niech pan rozmawia z nimi, *mon cher*, niech się pan nie ogranicza do zwykłego przesłuchania. Niech pan wysłuchuje ich opinii, żąda ich pomocy, pyta o ich podejrzenia... ale *bon Dieu*! Nie potrzebuję pana uczyć pańskiego fachu. Dobrze pamiętam pana zalety.

Sharpe uśmiechnął się łagodnie:

– Tak – przyznał. – Zawsze uważałem, że... hm... życzliwość bardzo pomaga.

Obydwaj mężczyźni uśmiechnęli się do siebie z pełnym zrozumieniem.

Sharpe zbierał się do odejścia:

– Sądzę – powiedział powoli – że każde z nich potencjalnie jest mordercą.

– Nie zdziwiłbym się – nonszalancko rzucił Poirot. – Leonard Bateson, na przykład, ma gwałtowny charakter. Mógłby stracić panowanie nad sobą. Valerie Hobhouse jest inteligentna i potrafiłaby ułożyć sprytny plan. Nigel Chapman to infantylny typ, któremu brak poczucia proporcji. Jest też pewna Francuzka, która mogłaby zabić, gdyby w grę wchodziła dostateczna suma pieniędzy. Patricia Lane to typ macierzyński, a typy macierzyńskie są zawsze bezlitosne. Amerykanka Sally Finch jest pogodnego i wesołego usposobienia, może jednak lepiej od innych odgrywa przyjętą rolę. Jean Tomlinson to istne wcielenie słodyczy i prawości, ale wszyscy znamy zabójców, którzy ze szczerym przekonaniem uczęszczali do szkółki niedzielnej. Dziewczyna z Indii Zachodnich, Elizabeth Johnston, ma zapewne najsprawniejszy umysł w całym naszym domu. Rozsądkowi podporządkowała swoje życie uczuciowe – to niebezpieczne. Uroczy młody Afrykanin może mieć motywy zabójstwa, o których by nam się nigdy nie śniło. Weźmy też Colina McNabba, psychologa. Iluż to znamy psychologów, do których można zastosować powiedzenie: „Lekarzu, lecz się sam!"

– Na miłość boską, Poirot. W głowie mi się kręci. Czyż nie ma nikogo niezdolnego do popełnienia morderstwa?

– Często się nad tym zastanawiam – odparł Poirot.

Rozdział IX

Inspektor Sharpe westchnął, rozparł się wygodnie w fotelu i przetarł czoło chustką. Przesłuchał już oburzoną i zapłakaną Francuzkę, wyniosłego i odmawiającego wszelkiej współpracy Francuza, flegmatyczną i podejrzliwą Holenderkę, wymownego i agresywnego Egipcjanina. Wymienił parę krótkich uwag z oboma Hindusami oraz dwoma zdenerwowanymi młodymi Turkami, którzy nie bardzo rozumieli, co mówi, podobnie jak czarujący młody Irakijczyk. Inspektor był prawie pewien, że nikt z przesłuchiwanych nie miał nic wspólnego ze śmiercią Celii Austin ani też nie mógł mu w żaden sposób pomóc. Odprawił jednego po drugim paroma uspokajającymi słowami i teraz miał zamiar zrobić to samo z panem Akibombo.

Młody Afrykanin patrzył na niego dość dziecinnymi, żałosnymi oczami, ukazując jednocześnie w uśmiechu białe zęby.

– Chciałbym pomóc, tak, jeśli można – odezwał się. – Ona bardzo dla mnie miła, ta panna Celia. Raz mi dała pudełko takich twardych podłużnych cukierków z Edynburga, bardzo dobre łakocie, przedtem ja nie znałem. Może to wojna klanów? Albo może ojcowie czy wujowie przybywają ją zabić, bo słyszeli fałszywe opowieści, że ona źle postępuje?

Inspektor Sharpe zapewnił go, że nie ma najmniejszych podstaw do przypuszczeń, by coś podobnego wchodziło w rachubę. Młody człowiek ze smutkiem potrząsnął głową.

– To nie wiem, dlaczego tak się stało – powiedział. – Nie widzę tu nikogo, kto by chciał jej zrobić krzywdę. Ale jak mi pan da trochę jej włosów i ścinki paznokci, zobaczę, co uda mi się wykryć starą metodą. Nienaukową, nienowoczesną, ale często używaną tam, skąd pochodzę.

– Cóż, dziękuję, panie Akibombo, nie sądzę jednak, aby to było konieczne. My... hm... nie stosujemy takich metod tutaj.

– Oczywiście, panie inspektorze, rozumiem doskonale. Nienowoczesne. Nie w erze atomowej. W moim kraju niestosowane przez nowych policjantów, tylko przez starych ludzi w buszu. Jestem pewien, wszystkie nowe metody o wiele lepsze i pewne osiągnąć całkowity sukces. – Akibombo ukłonił się grzecznie i wyszedł. Inspektor Sharpe mruknął do siebie: „Mam szczerą nadzieję, że odniesiemy sukces, choćby tylko ze względów prestiżowych".

Następne spotkanie było z Nigelem Chapmanem, który próbował przejąć ster rozmowy we własne ręce.

– Doprawdy to zupełnie niezwykła historia – zaczął. – Niech pan sobie wyobrazi, że wydawało mi się, iż jesteście na fałszywym tropie, kiedy upieraliście się przy samobójstwie. Muszę przyznać, mam pewną satysfakcję, gdy pomyślę, że cała rzecz opiera się w istocie na fakcie napełnienia przez Celię pióra moim zielonym atramentem. Jedyne, czego morderca nie był w stanie przewidzieć. Sądzę, że zastanawiał się już pan nad tym, jaki mógłby być przypuszczalny motyw zbrodni?

– Ja zadaję pytania, panie Chapman – oświadczył sucho inspektor Sharpe.

– Tak, oczywiście, oczywiście – odparł niedbale Nigel, machając ręką. – Próbowałem trochę pójść na skróty, to wszystko. Ale, jak sądzę, musimy odbębnić wszystkie formalności, jak zwykle. Imię i nazwisko: Nigel Chapman. Wiek: dwadzieścia pięć lat. Urodzony, o ile mi wiadomo, w Nagasaki, co wydaje się miejscem wyjątkowo absurdalnym. Doprawdy nie mogę pojąć, co matka i ojciec robili tam w owym czasie. Odbywali podróż naokoło świata, jak należy przypuszczać. W każdym razie, jak rozumiem, nie czyni to ze mnie automatycznie Japończyka. Robię dyplom na uniwersytecie londyńskim, moja specjalność to epoka brązu i historia średniowieczna. Coś jeszcze chce pan wiedzieć?

– Jaki jest pana adres domowy?

– Nie mam domowego adresu, szanowny panie inspektorze. Mam tatusia, ale pokłóciliśmy się, wobec czego jego adres nie jest już moim. Tak więc zawsze można do mnie pisać na Hickory Road 26 lub do Banku Couttsa, filia na Leadenhall Street, jak to się mówi towarzyszom podróży, których ma się nadzieję już w życiu nie zobaczyć.

Inspektor Sharpe nie reagował na lekceważący sposób bycia Nigela. Miał do czynienia z „Nigelami" już przedtem i nie bez przenikliwości podejrzewał, że pod arogancją młodego człowieka kryje się nerwowość, naturalna w okolicznościach przesłuchania w sprawie o morderstwo.

– Jak dobrze znał pan Celię Austin? – zapytał.

– To dopiero jest trudne pytanie. Znałem ją bardzo dobrze, w tym sensie, że widywałem ją praktycznie co dzień i byłem z nią na dość poufałej stopie, ale w rzeczywistości nie znałem jej wcale. Oczywiście, nie interesowała mnie w najmniejszym stopniu, sądzę też, że miała do mnie stosunek krytyczny, jeśli w ogóle jakiś miała.

– Krytyczny z jakiegoś szczególnego powodu?

– Nie za bardzo jej odpowiadało moje poczucie humoru. Cóż, nie jestem jednym z tych gburowatych młodzieńców w rodzaju Colina McNabba. Tak, brak wychowania to naprawdę niezawodny sposób na podobanie się kobietom.

– Kiedy ostatnio widział pan Celię Austin?

– Wczoraj wieczorem przy kolacji. Wszyscy byliśmy dla niej niesłychanie czuli, rozumie pan. Colin wstał, chrząkał i kaszlał, aż wreszcie wykrztusił skromnie i wstydliwie, że się zaręczyli. Wtedyśmy się wszyscy trochę nad nim poznęcali i to wszystko.

– Czy to było przy kolacji, czy w salonie?

– Przy kolacji. Później, kiedy przeszliśmy do salonu, Colin gdzieś wyszedł.

– A reszta z was piła kawę w salonie?

– Jeśli nazywa pan tę ciecz, którą nam serwują, kawą, to owszem – odpowiedział Nigel.

– Czy Celia Austin piła kawę?

– No, chyba tak. To znaczy, akurat nie widziałem, żeby piła, ale na pewno tak.

– Czy pan osobiście nie podał jej kawy, na przykład?

– Jakżeż to wszystko sugestywne! Kiedy pan to powiedział, patrząc na mnie tak badawczo, proszę sobie wyobrazić, że poczułem się absolutnie pewien, że wręczyłem Celii filiżankę, napełniwszy ją przedtem strychniną, czy co to tam było. Sugestia hipnotyzująca, zapewne, ale jeśli chodzi o fakty, inspektorze, to wcale do niej nie podchodziłem, a jeżeli mam być szczery, nawet nie zauważyłem, czy piła kawę, i mogę pana zapewnić, bez względu na to czy pan mi wierzy, czy nie, że nigdy nie żywiłem żadnych namiętnych uczuć w stosunku do Celii i że ogłoszenie jej zaręczyn z Colinem McNabbem nie wzbudziło w mojej piersi morderczej żądzy zemsty.

– Niczego podobnego nie sugeruję – spokojnie odparł Sharpe. – Może bardzo się mylę, ale moim zdaniem nie chodzi tu bynajmniej o zbrodnię z namiętności; ktoś chciał po prostu usunąć Celię Austin. Dlaczego?

– Naprawdę nie potrafię sobie wyobrazić, dlaczego, panie inspektorze. Jest to prawdziwa zagadka, jako że Celia była najbardziej nieszkodliwą osobą pod słońcem, jeśli pan mnie rozumie. Niezbyt rozgarnięta, trochę nudna, niewątpliwie sympatyczna, absolutnie, powiedziałbym, nie typ dziewczyny, którą się morduje.

– Czy zdziwił się pan, kiedy się pan dowiedział, że to Celia Austin ponosi winę za te różne zaginięcia przedmiotów, kradzieże i tym podobne incydenty w tym domu?

– Człowieku, myślałem, że się przewrócę! Zupełnie mi to do niej nie pasowało.

– Pan, przypadkiem, nie nakłaniał jej do tego? Zdumione spojrzenie Nigela wydawało się całkowicie autentyczne:

– Ja? Nakłaniałem ją do tego? W jakim celu?

– No cóż, do tego właśnie sprowadzałoby się pytanie, prawda? Niekiedy ludzie mają dziwne poczucie humoru.

– Może jestem tępy, ale naprawdę nie widzę nic zabawnego we wszystkich tych głupich kradzieżach.

– Nie jest to żart w pańskim stylu?

– Nigdy mi nie przyszło do głowy, że to miał być żart. Chyba nie ulega wątpliwości, inspektorze, że kradzieże miały czysto psychologiczne podłoże?

– Pan jest absolutnie przekonany, że Celia Austin była kleptomanką?

– Ależ inspektorze, nie ma chyba innego wyjaśnienia?

– Może nie wie pan tyle o kleptomanach co ja, panie Chapman.

– Cóż, ja w każdym razie nie widzę innego wyjaśnienia.

– Nie uważa pan za możliwe, by ktoś nakłonił do tego pannę Austin w celu, dajmy na to, zwrócenia na nią uwagi pana McNabba?

W oczach Nigela pojawił się złośliwy błysk uznania.

– To istotnie bardzo interesujące wyjaśnienie, inspektorze – zauważył. – Wie pan, kiedy o tym myślę, wydaje się to całkiem możliwe i oczywiście poczciwy Colin złapałby się na to jak amen w pacierzu. – Nigel z wyraźną uciechą rozważał przez chwilę tę możliwość. Po czym ze smutkiem potrząsnął głową.

– Celia nie poszłaby na to – oświadczył. – Była dziewczyną poważną. Nigdy nie zakpiłaby z Colina. Durzyła się w nim.

– Pan nie ma żadnej własnej teorii, panie Chapman, na temat tego, co wydarzyło się w tym domu? Na przykład na temat wylania atramentu na notatki panny Johnston?

– Jeśli uważa pan, że ja to zrobiłem, inspektorze Sharpe, mogę tylko powiedzieć, że to całkowita nieprawda. Oczywiście, wygląda, że to ja, przez ten zielony atrament, ale jeśli pan mnie pyta, była to czysta złośliwość.

– Co mianowicie?

– Użycie mojego atramentu. Ktoś specjalnie użył zielonego atramentu, żeby skierować podejrzenie na mnie. Są tutaj ludzie złośliwi, inspektorze.

Inspektor popatrzył na niego bystro.

– Co konkretnie chce pan przez to powiedzieć?

Nigel jednak wycofał się do swojej skorupy i odparł wymijająco:

– Doprawdy, nie miałem na myśli nikogo konkretnego. Po prostu, kiedy wielu ludzi żyje pod jednym dachem, zaczynają sobie działać na nerwy.

Następny na liście inspektora Sharpe'a był Leonard Bateson. Len Bateson był jeszcze bardziej spięty niż Nigel, choć uwidoczniało się to w inny sposób: Len reagował podejrzliwie i agresywnie.

– W porządku! – wybuchnął, kiedy zakończyła się rutynowa pierwsza seria pytań. – To ja nalałem Celii kawę i podałem jej. Co z tego?

– Pan podał jej kawę po kolacji, to chce mi pan powiedzieć, panie Bateson?

– Tak. Przynajmniej ja napełniłem filiżankę z dzbanka i postawiłem obok niej, i może mi pan wierzyć albo nie, ale nie było tam morfiny.

– Widział pan, żeby piła?

– Nie, tego akurat nie widziałem. Wszyscy ruszaliśmy się, a ja zaraz potem zacząłem się z kimś sprzeczać. Nie zauważyłem, kiedy ją wypiła. Byli inni koło niej.

– Rozumiem. W gruncie rzeczy sugeruje pan, że każdy mógł dodać morfiny do jej filiżanki?

– Niech pan spróbuje dodać cokolwiek do czyjejś filiżanki. Wszyscy by zobaczyli!

– Niekoniecznie – odpowiedział Sharpe.

– Dlaczego pana zdaniem chciałbym otruć tę małą? Nic do niej nie miałem – zawołał Len agresywnie.

– Nie twierdziłem, że chciał ją pan otruć.

– Sama to zażyła. Sama to musiała zażyć. Innego wyjaśnienia nie ma.

– Moglibyśmy tak uważać, gdyby nie ten sfałszowany list samobójczy.

– Sfałszowany! Jak pragnę skonać! W końcu to ona go napisała, nie?

– Napisała jako część innego listu, wcześnie tamtego ranka.

– Nie wiem. Może oderwała kawałek i wykorzystała jako zawiadomienie o samobójstwie?

– Wolne żarty, panie Bateson. Jeśli chciałby pan zostawić list, że zamierza pan popełnić samobójstwo, to by pan taki list napisał. Nie brałby pan listu, który pisał pan do kogoś innego, i nie wyrywał z niego starannie jednego szczególnego zdania.

– Może bym brał. Ludzie robią najrozmaitsze dziwne rzeczy.

– Wobec tego gdzie jest reszta listu?

– Skąd mam wiedzieć? To pański problem, nie mój.

– Zdecydowanie mój, ale dobrze panu radzę, panie Bateson, odpowiadać grzecznie na moje pytania.

– Co więc chce pan wiedzieć? Nie zabiłem tej dziewczyny i nie miałem żadnego motywu, żeby ją zabijać.

– Lubił ją pan?

Len odpowiedział już mniej agresywnie:

– Bardzo ją lubiłem. Była miłym dzieciakiem. Trochę tępawym, ale miłym.

– Czy pan jej uwierzył, gdy się przyznała do popełnienia tych kradzieży, które ostatnio wywołały tu tyle zamieszania?

– Uwierzyłem jej, oczywiście, skoro tak powiedziała. Muszę jednak przyznać, że wydawało mi się to dziwne.

– Nie uważał pan, żeby to było w jej stylu?

– Nie, jakoś nie.

Wojowniczość Leonarda trochę przygasła, kiedy przestał czuć się zagrożony i zajął się problemem, który najwyraźniej go intrygował.

– Nie robiła wrażenia kleptomanki, jeśli rozumie pan, co mam na myśli – powiedział. – Ani złodziejki.

– A żaden inny powód, dla którego by to robiła, nie przychodzi panu do głowy?

– Inny powód? A jakiż mógłby być inny powód?

– No cóż, może próbowała zainteresować sobą pana Colina McNabba.

– Trochę to naciągane, nie?

– Ale go zainteresowała.

– Tak, oczywiście. Poczciwy Colin ma absolutnego bzika na punkcie wszelkich psychologicznych odchyleń od normy.

– No więc, jeśli Celia Austin o tym wiedziała...

– Do czego pan zmierza?

– Zmierzam do tego, że z czystej dobroci serca mógł jej pan coś w tym rodzaju podsunąć. Len parsknął śmiechem.

– Myśli pan, że zrobiłbym coś równie kretyńskiego? Zwariował pan.

Inspektor zmienił front:

– Czy pan sądzi, że Celia Austin wylała atrament na notatki Elizabeth Johnston, czy też że zrobił to ktoś inny?

– Ktoś inny. Celia powiedziała, że tego nie zrobiła, i wierzę jej. Bess nigdy nie złościła Celii, tak jak irytowała niektóre inne osoby.

– Kogo irytowała, i dlaczego?

– Pouczała ludzi, wie pan – Len zastanawiał się przez chwilę – każdego, kto powiedział coś tylko dla efektu. Zaraz patrzyła przez stół i cedziła pedantycznie:

„Niestety, fakty tego nie potwierdzają. Jest statystycznie dowiedzione, że...". Coś w ten deseń. To denerwowało, widzi pan, szczególnie tych, co lubią powiedzieć coś dla żartu, jak Nigel Chapman.

– A tak, Nigel Chapman.

– Poza tym atrament był zielony.

– Więc pan uważa, że zrobił to Nigel?

– No, w każdym razie jest to możliwe. To złośliwy facet, poza tym wydaje mi się, że ma pewne uprzedzenia rasowe. Chyba jedyny z nas.

– Czy przychodzi panu na myśl jeszcze ktoś, kogo panna Johnston mogła irytować swoją pedanterią i zwyczajem poprawiania?

– Colin McNabb od czasu do czasu także nie był zachwycony, no i udało jej się parę razy wyprowadzić z równowagi Jean Tomlinson.

Sharpe rzucił jeszcze parę luźnych pytań, ale Len Bateson nie miał nic ciekawego do dodania. Następnie inspektor przyjął Valerie Hobhouse.

Valerie była chłodna, elegancka i ostrożna. Okazała znacznie mniejsze zdenerwowanie niż obydwaj przesłuchiwani przed nią mężczyźni. Lubiła Celię, powiedziała. Celia nie grzeszyła inteligencją i wielka szkoda, że zakochała się akurat w Colinie McNabbie.

– Czy pani sądzi, że była kleptomanką, panno Hobhouse?

– Chyba tak. Szczerze mówiąc, niewiele wiem na ten temat.

– Czy pani uważa, że ktoś ją nakłonił do popełnienia tych różnych kradzieży?

Valerie wzruszyła ramionami.

– Żeby zwrócić uwagę tego nadętego osła Colina, o to panu chodzi?

– Bardzo szybko pani na to wpadła, panno Hobhouse. Tak, dokładnie o to mi chodzi. Pani sama chyba jej do tego nie namawiała, co?

Valerie robiła wrażenie ubawionej.

– Mało to prawdopodobne, drogi panie, biorąc pod uwagę, że moja ulubiona apaszka została pocięta na strzępy. Nie jestem aż taką altruistką.

– Czy sądzi pani, że ktoś inny ją do tego namówił?

– Moim zdaniem, mało prawdopodobne. Powiedziałabym raczej, że to leżało w jej naturze.

– Co pani przez to rozumie: „leżało w jej naturze”?

– Po raz pierwszy przyszło mi do głowy, że to Celia, kiedy wybuchła cała ta awantura z pantofelkiem Sally. Celia była zazdrosna o Sally. Mówię o Sally Finch, bez dyskusji najbardziej tutaj atrakcyjnej dziewczynie. Colin poświęcał jej sporo uwagi. Zatem wieczorem ginie pantofelek Sally, i musi ona pójść na przyjęcie w starej czarnej sukni i w czarnych pantoflach. Celia wydawała się tak zadowolona, jak kot, który się opił śmietanki. Ale nie posądzałam jej o wszystkie te drobne kradzieże bransoletek i puderniczek.

– Kogo pani o nie podejrzewała? Valerie wzruszyła ramionami.

– Sama nie wiem. Chyba którąś ze sprzątaczek.

– A pocięty plecak?

– Był pocięty plecak? Zapomniałam. To wydaje się zupełnie bez sensu.

– Pani przebywa tu już od dawna, prawda, panno Hobhouse?

– Owszem. Powiedziałabym, że jestem najdawniejszą mieszkanką. To znaczy jestem już tu od dwóch i pół lat.

– Wobec tego wie pani zapewne więcej o tym domu niż ktokolwiek inny?

– Tak przypuszczam.

– Czy ma pani jakieś własne koncepcje na temat śmierci Celii Austin? Podejrzenia co do motywu?

Valerie potrząsnęła głową. Jej twarz przybrała teraz poważny wyraz.

– Nie – odparła. – To straszne, co się wydarzyło. Nie potrafię wyobrazić sobie nikogo, kto chciałby, żeby Celia umarła. Była miłym, nikomu niewadzącym dzieciakiem, dopiero co się zaręczyła i...

– Tak?... – ponaglił inspektor.

– Zastanawiałam się, czy właśnie nie dlatego – kontynuowała Valerie powoli. – Dlatego, że się zaręczyła. Dlatego, że miała być szczęśliwa. Ale to przecież znaczy, że ktoś musiał być szaleńcem.

Wypowiadając to słowo wzdrygnęła się lekko, a inspektor Sharpe popatrzył na nią uważnie.

– Tak – przyznał. – Nie możemy całkowicie wykluczyć szaleństwa. A czy posiada pani jakąś teorię na temat szkody wyrządzonej notatkom i papierom Elizabeth Johnston?

– Nie. To także wyjątkowa złośliwość. Nie wierzę ani chwili, żeby Celia mogła zrobić coś podobnego.

– Jakiś pomysł, kto mógłby to zrobić?

– Cóż... żaden sensowny pomysł.

– A bezsensowny?

– Przecież nie interesują pana moje przeczucia, inspektorze?

– Bardzo mnie interesują pani przeczucia. Potraktuję je jako takie i zostanie to wyłącznie między nami.

– Cóż, prawdopodobnie kompletnie się mylę, ale jakoś podejrzewam, że była to Patricia Lane.

– Co takiego? Teraz mnie pani zadziwia, panno Hobhouse. Nie przyszłaby mi do głowy Patricia Lane. Robi wrażenie bardzo zrównoważonej, przyjemnej młodej damy.

– Nie powiedziałam, że to zrobiła. Po prostu wydawało mi się, że mogłaby to zrobić.

– Z jakiego dokładnie powodu?

– Patricia nie lubi Czarnej Bess. Czarna Bess zawsze pouczała jej ukochanego Nigela, przywołując go do porządku, kiedy powiedział coś głupiego, co mu się zdarza.

– Sądzi pani, że raczej byłaby to Patricia niż sam Nigel?

– O tak. Nie sądzę, żeby Nigelowi się chciało, a już na pewno nie użyłby swego ulubionego gatunku atramentu. On jest bardzo inteligentny. A to jest właśnie taka głupia rzecz, jaką Patricia byłaby w stanie zrobić, nie zastanawiając się, że podejrzenie może paść na jej najdroższego Nigela.

– Albo mógłby to być ktoś, kto ma rachunki z Nigelem Chapmanem i chciałby zasugerować, że to robota Nigela?

– Tak, to druga możliwość.

– Kto nie lubi Nigela Chapmana?

– Choćby Jean Tomlinson pierwsza. A Nigel i Len Bateson zawsze toczą boje.

– Czy zastanawiała się pani, panno Hobhouse, w jaki sposób Celii Austin podano morfinę?

– Wiele nad tym myślałam. Naturalnie, najbardziej oczywiste wydaje mi się, że w kawie. Wszyscyśmy krążyli po salonie. Kawa Celii stała na małym stoliku obok niej. Celia zawsze czekała, aż ostygnie, zanim zaczęła pić. Myślę, że każdy, kto miałby wystarczająco silne nerwy, mógł wpuścić tabletkę czy coś takiego do jej filiżanki bez zwrócenia uwagi, ale byłoby to ryzykowne. To znaczy, taką rzecz można dość łatwo zauważyć.

– Morfina – wtrącił inspektor Sharpe – nie była w postaci tabletki.

– Co więc to było? Proszek?

– Tak.

Valerie zmarszczyła brwi:

– To chyba byłoby trudniejsze, prawda?

– Czy coś jeszcze poza kawą przychodzi pani do głowy?

– Czasem piła szklankę gorącego mleka przed położeniem się do łóżka. Nie wydaje mi się jednak, żeby zrobiła to tamtej nocy.

– Czy mogłaby mi pani dokładnie opisać, co wydarzyło się tego wieczoru w salonie?

– Cóż, jak powiadam, siedzieliśmy, rozmawialiśmy, ktoś nastawił radio. Większość chłopców chyba wyszła. Celia poszła spać wcześnie, podobnie jak Jean Tomlinson. Myśmy z Sally siedziały dość długo. Ja pisałam listy, Sally wkuwała z jakichś notatek. Jestem prawie pewna, że ostatnia poszłam do łóżka.

– W gruncie rzeczy, był to zwykły wieczór.

– Absolutnie, panie inspektorze.

– Dziękuję, panno Hobhouse. Zechce mi pani teraz przysłać pannę Lane.

Patricia robiła wrażenie zmartwionej, ale niezdenerwowanej. Pytania i odpowiedzi nie wniosły nic nowego. Zapytana o zniszczenie papierów Elizabeth Johnston, Patricia odpowiedziała, iż nie ma wątpliwości, że zrobiła to Celia.

– Ale ona zaprzeczyła, panno Lane, bardzo gwałtownie.

– To oczywiste – odpowiedziała Patricia. – Cóż jej innego pozostało. Myślę, że było jej wstyd. Ale to pasuje przecież do tych wszystkich innych rzeczy.

– Wie pani, co mnie uderza w tej sprawie? Że tu niewiele pasuje.

– Przypuszczam – Patricia zarumieniła się – że pan posądza Nigela o zalanie papierów Bess. Z powodu atramentu. To jest kompletny nonsens. Przecież Nigel nie użyłby własnego atramentu, jeśliby miał zrobić coś podobnego. Nie byłby takim głupcem. W każdym razie on tego nie zrobił.

– Nie zawsze był z panną Johnston w najlepszych stosunkach, prawda?

– Ach, ona czasem potrafiła być irytująca, ale on się w gruncie rzeczy tym nie przejmował – Patricia Lane pochyliła się w stronę inspektora i ciągnęła z żarem: – Chciałabym, żeby pan spróbował zrozumieć parę rzeczy, panie inspektorze. Chodzi mi o Nigela Chapmana. Widzi pan, Nigel jest naprawdę w znacznej mierze swoim najgorszym wrogiem. Pierwsza jestem gotowa przyznać, że ma bardzo nieprzyjemny sposób bycia. Jest szorstki, sarkastyczny, kpi z ludzi, zniechęca ich do siebie i w rezultacie myślą o nim jak najgorzej. Ale w głębi duszy jest zupełnie inny od tego, jakim się przedstawia. Należy do tych nieśmiałych, w gruncie rzeczy nieszczęśliwych osób, które chcą być lubiane, ale z ducha przekory mówią i robią coś zupełnie odwrotnego, niż chciałyby zrobić czy powiedzieć.

– Ach tak – zauważył inspektor Sharpe. – Dość to dla nich pechowe, nieprawdaż?

– Tak, ale oni naprawdę nic nie mogą na to poradzić, rozumie pan. To się bierze z nieszczęśliwego dzieciństwa. Nigel miał niezwykle trudne stosunki rodzinne. Jego ojciec był bardzo szorstki, surowy i nigdy go nie rozumiał. Także bardzo źle traktował żonę. Po jej śmierci doszło między nim a Nigelem do straszliwej kłótni i Nigel opuścił dom. Ojciec zagroził, że nigdy nie da mu ani grosza i że Nigel musi sobie sam dawać radę bez jego pomocy. Syn odpowiedział, że nie chce pomocy od ojca i że nie przyjmie żadnej, nawet gdyby mu ją ofiarowano. Matka zostawiła mu w testamencie niewielką sumkę i Nigel nigdy nawet nie napisał do ojca ani nie próbował się z nim zobaczyć. Oczywiście uważam, że to w pewnym sensie szkoda, ale nie ulega wątpliwości, że ojciec Nigela jest człowiekiem wyjątkowo antypatycznym. Nie dziwię się, że to uczyniło Nigela gorzkim i trudnym w pożyciu. Od śmierci matki nie miał nikogo, kto by go kochał i troszczył się o niego. Jest nienajlepszego zdrowia, choć ma genialny umysł. Został życiowo okaleczony i nie potrafi pokazać się takim, jakim jest w rzeczywistości.

Patricia Lane zamilkła. Była zarumieniona i nieco zadyszana po wygłoszeniu tej długiej, żarliwej mowy. Inspektor Sharpe przypatrywał się jej uważnie. Zetknął się w swoim życiu także z wieloma Patriciami Lane. „Zakochana w facecie" pomyślał. „Sądzę, że jemu guzik na niej zależy, ale prawdopodobnie nie przeszkadza mu jej matkowanie. Ojciec rzeczywiście wygląda na starego choleryka, ale założyłbym się, że matka była niemądrą kobietą, która rozpuściła syna i swoją ślepą miłością powiększyła przepaść pomiędzy nim a ojcem. Napatrzyłem się tego dosyć". Zastanawiał się, czy Nigel Chapman mógł być choć trochę zajęty Celią Austin. Wydawało się to mało prawdopodobne, ale kto wie. A jeżeli tak, to Patricia Lane mogła gorzko ten fakt przeżywać. Przeżywać dostatecznie silnie, aby mieć ochotę zrobić Celii coś złego? Przeżywać dostatecznie silnie, aby popełnić morderstwo? Chyba nie, a w każdym razie fakt, że Celia zaręczyła się z Colinem McNabbem musiałby przekreślić ten ewentualny motyw morderstwa. Inspektor odprawił Patricię i wezwał Jean Tomlinson.

Rozdział X

Panna Tomlinson była poważnie wyglądającą młodą kobietą lat dwudziestu siedmiu, o jasnych włosach, regularnych rysach i dość wąskich zasznurowanych ustach. Usiadła i spytała sztywno:

– A więc, panie inspektorze? Czym mogę panu służyć?

– Zastanawiam się, czy mogłaby nam pani udzielić jakiejś pomocy w tej bardzo tragicznej sprawie.

– To szokujące. Naprawdę szokujące – oświadczyła Jean. – Już wystarczyło, że myśleliśmy, iż Celia popełniła samobójstwo... ale teraz, kiedy mówi się, że to morderstwo... – umilkła i potrząsnęła ze smutkiem głową.

– Jesteśmy raczej pewni, że nie otruła się sama – powiedział Sharpe. – Wie pani, skąd pochodziła trucizna?

Jean przytaknęła.

– Domyślam się, że ze szpitala św. Katarzyny, gdzie pracowała. Ale czy to tym bardziej nie wskazuje na samobójstwo?

– Niewątpliwie miało wskazywać – zgodził się inspektor.

– Ale kto jeszcze poza Celią mógłby zdobyć tę truciznę?

– Och, sporo osób – pośpieszył z wyjaśnieniem inspektor Sharpe. – Jeśli byłyby zdecydowane to zrobić. Niedaleko szukając, pani sama, panno Tomlinson, mogłaby się w nią zaopatrzyć, jeśli miałaby pani ochotę.

– Wypraszam sobie, panie inspektorze! – głos Jean był ostry i pełen oburzenia.

– Przecież odwiedzała pani aptekę dość często, czyż nie, panno Tomlinson?

– Zachodziłam zobaczyć się z Mildred Carey, owszem. Ale naturalnie nigdy nie śniło mi się myszkować w szafce z truciznami.

– Ale mogłaby pani to zrobić?

– Z całą pewnością nie mogłabym zrobić niczego podobnego!

– Zaraz, spokojnie, panno Tomlinson. Przypuśćmy, że pani przyjaciółka byłaby zajęta przygotowywaniem koszyków na oddziały, a druga dziewczyna obsługiwałaby ambulatorium przez okienko. Często się zdarza, że są tylko dwie aptekarki w pierwszym pokoju. Mogła pani, jak gdyby nigdy nic, przejść za półki przegradzające pomieszczenie, szybko wyjąć buteleczkę z szafki, wsunąć do kieszeni, a żadnej z aptekarek nawet by nie przyszło do głowy, że pani to zrobiła.

– Nie życzę sobie, żeby pan mówił do mnie w ten sposób, panie inspektorze. To jest… to jest… haniebne oskarżenie.

– Ależ to nie jest oskarżenie, panno Tomlinson. Nic podobnego. Niechże mnie pani dobrze zrozumie. Pani mi powiedziała, że byłoby dla pani niemożliwe zrobienie czegoś podobnego, a ja usiłuję pani dowieść, że byłoby to zupełnie możliwe. Ani przez chwilę nie sugeruję, że pani to zrobiła. W końcu w jakim celu miałaby to pani zrobić?

– Istotnie. Pan chyba nie zdaje sobie sprawy, panie inspektorze, że byłam przyjaciółką Celii.

– Wielu ludzi bywa otrutych przez swoich przyjaciół. Jest pewne pytanie, które musimy sobie czasem zadać: „Kiedy przyjaciel nie jest przyjacielem?”.

– Nie było żadnego poróżnienia między mną a Celią, nic w tym rodzaju. Bardzo ją lubiłam.

– Czy miała pani jakiś powód, aby podejrzewać, że to ona dopuściła się kradzieży w tym domu?

– Nie, absolutnie. Nigdy w życiu nie byłam równie zdumiona. Zawsze uważałam, że Celia ma zasady. Do głowy by mi nie przyszło, że może uczynić coś podobnego.

– Oczywiście, wiadomo pani – Sharpe obserwował ją uważnie – że kleptomanka nie potrafi się powstrzymać, prawda?

Jean Tomlinson jeszcze mocniej zasznurowała usta:

– Nie mogę powiedzieć, żebym w pełni zgadzała się z tą teorią, panie inspektorze. Jestem staroświecka, jeśli chodzi o poglądy, i uważam, że kradzież to kradzież.

– Uważa pani, że Celia kradła, ponieważ chciała po prostu zabrać te przedmioty?

– Jestem o tym głęboko przekonana.

– Zwykła nieuczciwość, czy tak?

– Obawiam się, że tak.

– Ach – powiedział inspektor, kręcąc głową – to niedobrze.

– To zawsze przykre, jeśli człowiek się do kogoś rozczaruje.

– Jak rozumiem, powstała kwestia, czy nie należałoby wezwać nas, to znaczy policji.

– Tak. Moim zdaniem powinno się było tak postąpić.

– Uważa pani zapewne, że należało to bezwzględnie zrobić?

– Uważam, że byłoby to słuszne. Tak jest, nie uważam, by należało pozwalać, aby takie rzeczy uchodziły ludziom na sucho.

– Aby uchodziło na sucho nazywanie się kleptomanką, kiedy w rzeczywistości jest się złodziejką, czy o to pani chodzi?

– No, mniej więcej... tak, o to mi chodzi.

– A zamiast tego wszystko kończy się szczęśliwie i dla panny Austin biją dzwony weselne.

– Oczywiście, wszystkiego można się spodziewać po Colinie McNabbie – powiedziała zjadliwie Jean Tomlinson. – Jestem pewna, że jest ateistą. Jest to najbardziej sceptyczny, szyderczy, niesympatyczny młody człowiek, jakiego sobie można wyobrazić. Niegrzeczny dla wszystkich. Moim zdaniem to komunista!

– Ach – odezwał się inspektor Sharpe. – Niedobrze!

– Stanął po stronie Celii, bo prawdopodobnie nie ma właściwego stosunku do własności. Pewnie uważa, że każdy może sobie brać, co chce.

– Tak czy inaczej – zauważył inspektor Sharpe – panna Austin przecież się przyznała.

– Po tym, jak ją zdemaskowano. Tak – rzuciła ostro Jean.

– Kto ją zdemaskował?

– Ten pan... no jakżeż on się nazywa... Poirot...

– Dlaczego pani uważa, że on ją zdemaskował, panno Tomlinson? Nie powiedział tego. Poradził tylko, żeby zawezwać policję.

– Musiał jej dać do zrozumienia, że wie. Ona musiała się zorientować, że gra skończona i pośpieszyła z wyznaniem.

– A co z tym atramentem wylanym na papiery Elizabeth Johnston? Czy do tego też się przyznała?

– Doprawdy nie wiem. Przypuszczam, że tak.

– Przypuszcza pani niesłusznie – przeciął Sharpe. – Zaprzeczyła bardzo gwałtownie, jakoby miała cokolwiek z tym wspólnego.

– Cóż, może to i prawda. Muszę przyznać, że nie wydaje się to zbyt prawdopodobne.

– Uważa pani za bardziej prawdopodobne, że to Nigel Chapman?

– Nie, Nigela też o to nie posądzam. Moim zdaniem to raczej pan Akibombo.

– Doprawdy? Po co miałby to robić?

– Zazdrość. Ci wszyscy kolorowi są bardzo o siebie zazdrośni i reagują histerycznie.

– To interesujące, panno Tomlinson. Kiedy po raz ostatni widziała pani Celię Austin?

– Po kolacji w piątek wieczorem.

– Która z was pierwsza poszła się położyć? Pani czy ona?

– Ja.

– Nie wchodziła pani do jej pokoju, po tym jak wyszła pani z salonu?

– Nie.

– I nie ma pani pojęcia, kto mógłby dodać morfiny do jej kawy, jeśli przyjąć, że w ten sposób została zaaplikowana.

– Absolutnie nie mam,

– Nigdy pani nie widziała tej morfiny gdzieś w domu, czy może w czyimś pokoju?

– Nie. Chyba nie.

– Chyba nie? Jak pani to rozumie, panno Tomlinson?

– Po prostu się zastanawiałam. Wie pan, że doszło do tego głupiego zakładu.

– Jakiego zakładu?

– Och, no kilku chłopców się sprzeczało...

– O co się sprzeczali?

– O morderstwo i sposoby jego dokonania. Przede wszystkim o otrucie.

– Kto brał udział w tej dyskusji?

– Chyba rozpoczęli ją Colin i Nigel, potem wtrącił się Len Bateson, była też tam Patricia...

– Czy potrafi sobie pani przypomnieć, tak dokładnie, jak to tylko możliwe, co zostało wtedy powiedziane, jak przebiegała sprzeczka?

Jean Tomlinson zastanowiła się przez chwilę:

– Zaczęło się chyba od dyskusji na temat morderstwa przez otrucie, ktoś mówił, że trudność polega na zdobyciu trucizny, że kupno trucizny albo dostęp do niej zwykle naprowadza na ślad mordercy, na co Nigel oświadczył, że wcale tak być nie musi. Oświadczył, że zna trzy różne sposoby, jakimi mógłby zdobyć truciznę tak, żc nikt by się o tym nie dowiedział. Len Bateson powiedział mu wtedy, że plecie bzdury. Nigel na to, że bynajmniej i że jest gotów tego dowieść. Pat oznajmiła, że oczywiście Nigel ma całkowitą słuszność, że i Len, i Colin mogliby w każdej chwili wynieść truciznę ze szpitala, jak również że mogłaby to zrobić Celia. A Nigel odpowiedział, że wcale nie o to mu chodziło. Powiedział, że zauważono by, gdyby Celia zabrała cokolwiek z apteki. Prędzej czy później ktoś by tego szukał i zobaczył, że nie ma. A Pat na to, że nie, jeżeliby Celia opróżniła np. fiolkę i napełniła ją czymś innym. Colin zaczął się śmiać, że w takim wypadku pacjenci pewnego pięknego dnia złożyliby zażalenie. Ale Nigel wyjaśnił, że oczywiście nie chodziło mu o tego rodzaju możliwości. Oświadczył, że on sam, nie mając swobodnego dostępu do apteki jako lekarz czy farmaceuta, potrafi doskonale zdobyć trzy różne gatunki trucizn, trzema różnymi metodami. Len Bateson spytał: „Dobra, więc jakie są te twoje metody?". Nigel zaś odparł: „Nie powiem ci teraz, ale jestem gotów się założyć, że w ciągu trzech tygodni przedstawię tutaj próbki trzech śmiertelnych trucizn". Wtedy Bateson powiedział, że założy się z nim o pięć funtów, że nie będzie w stanie tego zrobić.

– I co dalej? – zapytał inspektor Sharpe, kiedy Jean przerwała.

– O ile pamiętam, nic więcej się nie działo przez jakiś czas, aż któregoś wieczoru w salonie Nigel powiada: „No to teraz popatrzcie tutaj, chłopaki, dotrzymałem słowa" i rzuca na stół trzy specyfiki. Były to: fiolka tabletek hioscyny, buteleczka nalewki naparstnicy i maleńka flaszeczka morfiny w proszku.

Inspektor zareagował natychmiast:

– Morfina w proszku... Była na tym jakaś nalepka?

– Owszem, było napisane „Szpital św. Katarzyny". Pamiętam, bo to mi oczywiście wpadło w oko.

– A na tamtych lekach?

– Nie zauważyłam. Powiedziałabym, że nie pochodziły z zapasów szpitalnych.

– Co było potem?

– Sporo gadania, zdumienie i tak dalej, po czym Len Bateson powiedział: „No, stary, jeżelibyś teraz popełnił morderstwo, szybko by cię złapali". A Nigel: „Wcale nie. Nie mam powiązań z żadną kliniką ani szpitalem i nikt by mnie nie skojarzył z tymi truciznami. Nie kupowałem ich także w aptece". Colin McNabb wyjął fajkę z ust i odezwał się: „Nie, tego z całą pewnością nie mógłbyś zrobić. Żaden aptekarz nie sprzedałby ci tych trzech specyfików bez recepty". Krótko mówiąc, posprzeczali się jeszcze trochę, po czym Len oznajmił, że zapłaci: „W tej chwili nie mogę, bo mi brakuje gotówki, ale nie ulega wątpliwości, że Nigel dowiódł swojej racji". I dodał: „Co zrobimy z tym kompromitującym łupem?" Nigel uśmiechnął się szelmowsko i powiedział, żeby się lepiej tego pozbyć, zanim zdarzą się jakieś wypadki, wobec tego opróżnili fiolkę i flaszeczkę, wrzucili tabletki i proszek do ognia, a nalewkę wylali do ubikacji.

– A co z opakowaniami?

– Nie wiem, co się stało z fiolką i buteleczkami. Myślę, że po prostu wyrzucili je do kosza.

– Ale same trucizny zniszczono?

– Tak. Jestem tego pewna. Widziałam na własne oczy.

– A kiedy to miało miejsce?

– Ze dwa tygodnie temu, jak mi się zdaje.

– Rozumiem. Dziękuję pani, panno Tomlinson.

Jean ociągała się z odejściem, wyraźnie oczekując, że coś jeszcze usłyszy.

– Czy pan sądzi, że to może być ważne?

– Może tak. Trudno powiedzieć.

Inspektor Sharpe pogrążył się na parę chwil w rozmyślaniach. Po czym ponownie wezwał Nigela Chapmana.

– Usłyszałem właśnie interesujące zeznania od panny Tomlinson – zaczął.

– Aa! Przeciwko komu droga Jean zatruwała pański umysł?

– Mówiła o truciźnie, i to w powiązaniu z panem, panie Chapman.

– Ja i trucizna? Co za pomysł?

– Czy pan zaprzecza, że parę tygodni temu założył się pan z panem Batesonem, iż zna pan metody zdobycia trucizny, które nie naprowadzą na pański ślad?

– Ach, o to chodzi! – zrozumiał nagle Nigel. – Tak, oczywiście. Dziwne, że nigdy o tym nie myślałem. Nie pamiętam nawet, że Jean przy tym była. Ale chyba nie uważa pan, że to może mieć jakiekolwiek znaczenie?

– Nigdy nic nie wiadomo. Więc przyznaje pan, że taki fakt się zdarzył?

– Tak, tak, sprzeczaliśmy się na ten temat. Colin i Len robili ważne miny i wypowiadali się tonem niedopuszczającym sprzeciwu, więc im powiedziałem, że przy odrobinie pomyślunku każdy mógłby zdobyć odpowiednią dawkę trucizny, a nawet, że znam trzy sposoby na to i mogę tego dowieść eksperymentalnie.

– Następnie zabrał się pan do wprowadzenia swoich słów w czyn?

– Następnie zabrałem się do wprowadzenia moich słów w czyn, inspektorze.

– A na czym polegały owe trzy metody, panie Chapman?

Nigel przechylił głowę na bok:

– Czy nie nakłania mnie pan czasem do obciążających zeznań? – zapytał. – Pan mnie chyba powinien ostrzec?

– Nie nadszedł jeszcze czas, żeby pana ostrzegać, panie Chapman, ale istotnie nie ma potrzeby, aby składał pan, jak pan to ujął, obciążające zeznania. Ma pan absolutne prawo odmówić odpowiedzi na moje pytania, jeśli pan to uzna za stosowne.

– Wcale nie wiem, czy chcę odmawiać – Nigel zastanawiał się przez chwilę. Na jego ustach błąkał się uśmieszek.

– Oczywiście – oznajmił w końcu – to, co zrobiłem, było niezgodne z prawem. Mógłby mnie pan tu „zahaczyć", gdyby pan chciał. Z drugiej strony, jest to sprawa o morderstwo i jeżeli ma to jakikolwiek związek ze śmiercią biednej małej Celii, sądzę, że powinienem panu odpowiedzieć.

– Na pewno byłoby to rozsądne.

– Więc dobrze. Powiem.

– Na czym polegały te trzy metody?

– Zatem – Nigel usiadł wygodniej – czyta się ciągle w gazetach, prawda, że lekarzom giną z samochodów różne niebezpieczne leki. Ostrzega się ludzi przed takimi przypadkami. Otóż przyszło mi do głowy, że jedna metoda to pojechać na wieś, śledzić wiejskiego lekarza odbywającego wizyty, a kiedy nadarzy się okazja, otworzyć jego samochód, zajrzeć do lekarskiego neseseru i wyjąć, co trzeba. Widzi pan, w tych wiejskich okręgach lekarz nie zawsze zabiera ze sobą neseser do domu chorego. Zależy jakiego pacjenta odwiedza.

– No i?

– No i wszystko. To znaczy wszystko, jeśli chodzi o metodę numer jeden. Przyszło mi śledzić trzech lekarzy, zanim trafiłem na jednego odpowiednio beztroskiego. Potem wszystko już było bardzo proste. Samochód stał przed wiejskim domem w dość odludnym miejscu. Otworzyłem drzwiczki, zajrzałem do neseseru, wyciągnąłem fiolkę z nalepką *Hyoscina hydrobromica* i to wszystko.

– Rozumiem. A metoda numer dwa?

– To, prawdę mówiąc, wymagało lekkiego przyciśnięcia drogiej Celii. Niczego nie podejrzewała. Powiedziałem panu, że była naiwną dziewczyną. Nie miała pojęcia, do czego zmierzam. Po prostu coś jej tam opowiadałem o łacińskiej abrakadabrze na receptach i poprosiłem, żeby wypisała mi receptę, tak jak by to zrobił lekarz, na *Tinctura digitalis*, czyli nalewkę naparstnicy. Zrobiła to, niczego nie podejrzewając. Potem pozostało mi tylko znaleźć w książce telefonicznej lekarza mieszkającego w odległej dzielnicy Londynu i dopisać jego z lekka nieczytelny podpis. Poszedłem do apteki w ruchliwym punkcie miasta, gdzie aptekarz raczej nie mógł znać podpisu tego właśnie lekarza i zrealizowałem receptę bez najmniejszych trudności. *Digitalis* przepisuje się w dużych ilościach chorym na serce. Aha. Receptę napisałem na papeterii hotelowej.

– Bardzo pomysłowo – zauważył inspektor sucho.

– Składam obciążające mnie zeznania! Słyszę to w pana tonie.

– A trzecia metoda?

Nigel nie odpowiedział od razu. Wreszcie spytał:

– Chwileczkę. Na co dokładnie się narażam?

– Kradzież leków z niestrzeżonego samochodu zaliczana jest do drobnych przestępstw – wyjaśnił inspektor. – Sfałszowanie recepty...

Nigel mu przerwał:

– No chyba niezupełnie sfałszowanie? W końcu nie zyskałem dzięki temu pieniędzy, nie było to też podrobienie prawdziwego podpisu jakiegokolwiek lekarza. Przecież jeśli napiszę receptę i podpiszę ją „H. R. James", nie można powiedzieć, że sfałszowałem nazwisko jakiegoś konkretnego doktora Jamesa – ciągnął z wymuszonym uśmiechem. – Rozumie pan, o co mi chodzi? Nadstawiam karku. Jeśli zechce pan być nieprzyjemny, cóż, w oczywisty sposób wpadłem. Z drugiej strony, jeśli...

– Tak, panie Chapman, co z drugiej strony?

Nigel rzucił z nagłą pasją:

– Nie uznaję morderstwa. Uważam je za potworność, obrzydliwość. Celia, biedna, mała idiotka, nie zasłużyła, żeby ją zamordowano. Chcę pomóc. Ale nie bardzo widzę, żeby to zwierzanie się z moich grzeszków przydało się na coś.

– Policja jest dość tolerancyjna, panie Chapman. Może uznać pewne wydarzenia za zwykły lekkomyślny wybryk. Przyjmuję pańskie zapewnienie, że chce pan pomóc w wyjaśnieniu okoliczności morderstwa tej dziewczyny. Teraz proszę kontynuować i opowiedzieć mi o pańskiej trzeciej metodzie.

– No cóż – powiedział Nigel – dochodzimy do punktu kulminacyjnego. Była ona nieco bardziej ryzykowna niż dwie poprzednie, ale zarazem dostarczyła znacznie lepszej zabawy. Widzi pan, chyba raz czy dwa razy odwiedziłem Celię w jej aptece i znałem topografię terenu...

– Mógł więc pan zabrać buteleczkę z szafki?

– Nie, nie, nic równie prostego. To byłoby niesportowe z mojego punktu widzenia. Nawiasem mówiąc, gdyby chodziło o rzeczywiste morderstwo, to znaczy gdybym kradł truciznę, żeby dokonać morderstwa, prawdopodobnie przypomniano by sobie, że tam byłem. Jeśli chodzi o ścisłość, nie byłem u Celii w aptece dobre pół roku. Ale wiedziałem, że o jedenastej piętnaście Celia zawsze idzie do pokoju na zapleczu, na tak zwane drugie śniadanie, czyli filiżankę kawy z herbatnikiem. Dziewczęta wychodziły kolejno, po dwie naraz. Jedna dziewczyna była nowa, przyszła dopiero co, i z pewnością nie znała mnie z widzenia. Zrobiłem więc, co następuje: wszedłem sobie do szpitalnej apteki jak gdyby nigdy nic, w białym fartuchu i ze stetoskopem na szyi. Zastałem tylko tę nową dziewczynę, w dodatku zajętą przy okienku. Przeszedłem spokojnie do szafki z trucizną, wyjąłem buteleczkę, obszedłem przepierzenie, zapytałem dziewczyny: „w jakich dawkach macie adrenalinę?". Poinformowała mnie, kiwnąłem głową, po czym zażyczyłem sobie dwóch tabletek veganiny, mówiąc, że mam straszliwego kaca. Połknąłem obie i wyszedłem. Ani jej do głowy nie przyszło, że nie jestem stażystą albo studentem medycyny. Była to dziecinna igraszka. Celia nawet nie wiedziała, że tam byłem.

– Ze stetoskopem? – zainteresował się inspektor Sharpe. – Skąd pan wziął stetoskop?

Nigel niespodziewanie uśmiechnął się:

– Należał do Lena Batesona. Zwędziłem mu.

– W tym domu?

– Tak.

– Czyli to wyjaśnia kradzież stetoskopu. Nie była to robota Celii.

– Boże broń! Nie mogę sobie wyobrazić kleptomanki kradnącej stetoskop, a pan?

– Co pan z nim zrobił później?

– Niestety musiałem go zastawić – wyznał Nigel pokornie.

– Czy nie było to trochę nieładnie wobec Batesona?

– Bardzo nieładnie. Ale bez zdradzenia moich metod, czego nie miałem zamiaru uczynić, nie mogłem mu o tym powiedzieć. Natomiast – dodał pogodnie – niedługo potem wziąłem go wieczorem do miasta i zaprosiłem na niezłą popijawę.

– Jest pan bardzo nieodpowiedzialnym młodym człowiekiem – zauważył inspektor Sharpe.

– Powinien był pan zobaczyć ich miny – uśmiech Nigela stał się jeszcze szerszy – kiedy rzuciłem na stół te trzy śmiercionośne preparaty i powiedziałem, że udało mi się zdobyć każdy z nich w taki sposób, że nikt nie ma pojęcia, kto je wziął.

– To, co mi pan mówi, oznacza – powiedział inspektor – że miał pan do dyspozycji trzy sposoby otrucia za pomocą trzech różnych trucizn i że w żadnym z tych wypadków trucizna nie naprowadzała na pański ślad.

Nigel skinął głową:

– Mniej więcej tak. I biorąc pod uwagę okoliczności, nie jest przyjemnie przyznawać się do czegoś takiego. Ważne jednak, że trucizny zostały starannie usunięte przynajmniej dwa tygodnie przed śmiercią Celii, albo i jeszcze dawniej.

– To pan tak myśli, panie Chapman, ale to wcale nie znaczy, że tak było.

Nigel popatrzył ze zdumieniem:

– Co pan ma na myśli?

– Jak długo miał pan te rzeczy w swoim posiadaniu?

Nigel zastanowił się.

– Fiolkę hioscyny jakieś dziesięć dni, o ile pamiętam. Morfinę w proszku około czterech dni. *Digitalis* zdobyłem dopiero tamtego popołudnia.

– A gdzie pan trzymał te specyfiki, to znaczy hioscynę oraz morfinę w proszku?

– W szufladzie mojej komody, wciśnięte na dno, pod skarpetkami.

– Czy ktokolwiek wiedział, że pan to tam schował?

– Nie, jestem pewny, że nie.

W jego głosie dała się słyszeć nutka wahania, która nie uszła uwagi inspektora, ale na razie nie wrócił do tego tematu.

– Czy mówił pan komuś, co pan robi? O swoich metodach? O planie działania, jaki pan sobie ułożył?

– Nie. Przynajmniej... Nie, nie mówiłem.

– Powiedział pan „przynajmniej”, panie Chapman.

– Nie, w końcu nic nie powiedziałem. Faktycznie miałem zamiar zwierzyć się Pat, ale pomyślałem sobie, że jej się to nie spodoba. Pat jest bardzo surowa, wolałem więc coś jej nabujać.

– Nie powiedział jej pan, że ukradł lekarstwa z samochodu ani o recepcie, ani też o morfinie ze szpitala?

– Jeżeli chodzi o ścisłość, powiedziałem jej później o *digitalis*: że napisałem receptę i przyniosłem tę naparstnicę z apteki, jak również że paradowałem w charakterze lekarza po szpitalu. Niestety Pat nie była ubawiona. Nie mówiłem jej, że zwędziłem leki z samochodu. Bałem się, że wszystko popsuje.

– Czy pan jej powiedział, że ma pan zamiar zniszczyć te specyfiki po wygraniu zakładu?

– Tak. Była okropnie zmartwiona i roztrzęsiona. Zaczęła nalegać, żebym to wszystko odniósł z powrotem i w ogóle zrezygnował z zakładu.

– Taki sposób postępowania panu samemu nie przyszedł do głowy?

– Boże broń! Byłoby to fatalne, dopiero bym się wpakował w ładną historię. Nie, we trzech wrzuciliśmy toto w ogień, a płyn wylali do w.c. i już. Nic się nie stało.

– To pan tak mówi, panie Chapman, ale jest zupełnie możliwe, że jednak się stało.

– Jakim cudem, skoro wywaliliśmy wszystko, jak panu mówię?

– Czy nigdy nie przyszło panu na myśl, że ktoś mógł zobaczyć, gdzie pan schował te rzeczy, albo na przykład je znaleźć, i że ten ktoś mógł opróżnić butelkę z morfiny i włożyć na jej miejsce coś innego?

– O Boże, nie! – Nigel popatrzył na Sharpe'a z przerażeniem. – Nie pomyślałem o tym. Nie wierzę w to.

– Ale istnieje taka możliwość, panie Chapman.

– Przecież absolutnie nikt nie mógł wiedzieć.

– Powiedziałbym – zauważył sucho inspektor – że w tego rodzaju miejscach ludzie wiedzą o wiele więcej, niżby to sobie pan mógł wyobrazić.

– Węszenie po kątach, czy tak?

– Tak.

– Co do tego może pan mieć rację.

– Kto z lokatorów mógł normalnie, o dowolnej porze, przebywać w pana pokoju?

– Dzielę go z Lenem Batesonem. Większość chłopaków wpadała od czasu do czasu. Nie dziewczyny, naturalnie. Dziewczyny nie powinny odwiedzać części mieszkalnej po naszej stronie domu. Względy przyzwoitości. Czystość obyczajów i tak dalej.

– Nie powinny, ale mogłyby, co?

– Każdy mógłby – odparł Nigel. – Za dnia. Na przykład po południu, kiedy nikogo z nas nie ma.

– Czy panna Lane przychodzi czasem do pańskiego pokoju?

– Mam nadzieję, że nie ma pan na myśli tego, co sugeruje pańskie pytanie, inspektorze. Pat przychodzi czasem do mego pokoju, żeby odnieść skarpetki, które mi zacerowała. Nic ponadto.

Nachylając się ku swemu rozmówcy Sharpe powiedział:

– Zdaje pan sobie sprawę, panie Chapman, że osobą, której najłatwiej byłoby usunąć truciznę z buteleczki i zastąpić ją czymś innym, jest pan?

Nigel popatrzył na niego z twarzą nagle poszarzałą:

– Tak – odpowiedział. – Uświadomiłem to sobie dokładnie półtorej minuty temu. Mógłbym doskonale to właśnie zrobić. Jednak nie miałem najmniejszego powodu, żeby tę dziewczynę wysyłać na tamten świat, i nie zrobiłem tego. Niemniej, jest jak jest i zdaję sobie sprawę, że pan ma na to tylko moje słowo.

Rozdział XI

Opowieść o zakładzie i pozbyciu się trucizny została potwierdzona przez Lena Batesona i Colina McNabba. Sharpe zatrzymał Colina:

– Nie chciałbym panu sprawiać więcej bólu niż to konieczne, panie McNabb. Mogę sobie wyobrazić, co to znaczy dla pana, że pańska narzeczona została otruta w wieczór waszych zaręczyn.

– Nie ma żadnej potrzeby zajmować się tym aspektem sprawy – odparł Colin z nieruchomą twarzą. – Nie musi pan troszczyć się o moje uczucia. Niech mi pan po prostu zada wszelkie pytania, które, pańskim zdaniem, mogą panu pomóc.

– Czy to była pańska ugruntowana opinia, że nietypowe zachowanie się Celii Austin miało podłoże psychologiczne?

– Nie ma co do tego żadnych wątpliwości – odparł Colin. – Jeżeli pan chce, mogę przedstawić panu teoretyczne uzasadnienie...

– Nie, nie – pośpiesznie przerwał inspektor. – Polegam na zdaniu pana jako adepta psychologii.

– Miała wyjątkowo trudne dzieciństwo. To wytworzyło emocjonalny blok...

– Bez wątpienia, bez wątpienia – inspektor Sharpe rozpaczliwie usiłował uniknąć wysłuchania relacji o jeszcze jednym trudnym dzieciństwie. Dzieciństwo Nigela zupełnie mu wystarczało. – Czy pan interesował się nią od jakiegoś czasu?

– Ściśle biorąc, niezupełnie tak bym to ujął – wyjaśniał Colin, skrupulatnie ważąc słowa. – Taka rzecz czasami człowieka zaskakuje sposobem, w jaki się nagle objawia. Podświadomie niewątpliwie interesowałem się nią, ale nie zdawałem sobie z tego sprawy. Ponieważ nie było moim zamiarem żenić się młodo, bez wątpienia wytworzyłem w mojej świadomości dość silny opór przeciwko takiemu zamysłowi.

– Tak, oczywiście. A Celia Austin była szczęśliwa zaręczając się z panem? Czy nie wyrażała jakichś wątpliwości? Wahań? Nie było nic takiego, co uważałaby, że powinna panu powiedzieć?

– Wyznała wszystko, co popełniła. W jej umyśle nie pozostało nic, co mogłoby ją niepokoić.

– Kiedy zamierzaliście się pobrać?

– Dopiero za jakiś czas. Moja pozycja w tej chwili nie pozwala na utrzymanie żony.

– Czy Celia miała tu jakiegoś wroga? Był ktoś, kto jej nie lubił?

– Nie wydaje mi się to prawdopodobne. Myślałem o tym dość gruntownie, inspektorze. Celia była tutaj lubiana. Jeśli miałbym wyrazić własną opinię, to działanie, które położyło kres życiu Celii, nie wynikało bynajmniej z pobudek osobistych.

– Jak pan to rozumie „nie z pobudek osobistych"?

– Wolałbym nie precyzować tego ściśle w tym momencie. Jest to pewna luźna koncepcja, która mi się rysuje i której sam nie jestem jeszcze pewien.

Inspektorowi nie udało się nakłonić go do zmiany stanowiska.

Ostatnie w kolejce były Sally Finch i Elizabeth Johnston. Pierwszą poprosił inspektor pannę Finch.

Sally, atrakcyjna dziewczyna, z rudą czupryną i błyszczącymi inteligentnymi oczami, po rutynowych pytaniach nagle przejęła inicjatywę:

– Wie pan, co miałabym ochotę zrobić, inspektorze? Miałabym ochotę powiedzieć panu, co ja myślę na ten temat. Ja osobiście. W tym domu jest coś nie w porządku, coś naprawdę nie w porządku. Nie mam co do tego wątpliwości.

– Czy uważa pani tak dlatego, że została otruta Celia Austin?

– Nie, myślałam tak jeszcze wcześniej. Czułam to już od jakiegoś czasu, nie podobały mi się rzeczy, które się tutaj działy. Nie podobał mi się ten zniszczony plecak, nie podobało mi się, że pocięto na kawałki apaszkę Valerie. Nie podobało mi się, że zalano atramentem notatki Czarnej Bess. Miałam zamiar wynieść się stąd, i to jak najszybciej. Nadal mam ten zamiar i zrobię to tak szybko, jak pan nam pozwoli.

– Czy pani się czegoś boi, panno Finch?

– Tak, boję się. Jest tu coś albo ktoś, kto jest bardzo bezwzględny. Cały ten dom nie jest... jak by to powiedzieć? nie jest taki, jaki się wydaje. Nie, nie, inspektorze, nie mam na myśli komunistów. Widzę, że pan ma słowa na końcu języka. Nie o komunistów mi idzie. Może nawet nie jest to sprawa kryminalna. Nie wiem. Ale założę się, o co pan chce, że ta okropna stara baba doskonale wie o wszystkim.

– Jaka stara baba? Chyba nie chodzi o panią Hubbard?

– Skądże. Nie o mamcię Hubbard. Mamcia Hubbard jest kochana. Chodzi mi o starą Nicoletis. O tę starą wilczycę.

– To interesujące, panno Finch. Czy nie mogłaby pani mówić jaśniej? O pani Nicoletis mianowicie.

Sally potrząsnęła głową.

– Nie. Tego właśnie nie mogę. Mogę tylko panu powiedzieć, że dostaję dreszczy, ile razy koło niej przechodzę. Coś dziwnego się tutaj dzieje, inspektorze.

– Bardzo bym chciał, żeby mogła pani mówić choć trochę jaśniej.

– Sama bym chciała. Będzie pan uważał, że mam przywidzenia. Może i mam, ale inni też tak myślą. Na przykład Akibombo. Jest przerażony. Wydaje mi się, że Czarna Bess też czuje tę dziwną atmosferę, ale ona się nie przyzna. Jestem pewna, inspektorze, że Celia także o czymś wiedziała.

– O czym wiedziała?

– W tym sęk. O czym? Ale mówiła tak dziwnie tego ostatniego dnia. Że wszystko się wyjaśni. Sama przyznała się do swojego udziału w tym, co zaszło, ale jednocześnie jakby dała do zrozumienia, że wie o innych sprawach i chce, żeby i one zostały wyjaśnione. Wydaje mi się, inspektorze, że ona wiedziała coś szczególnego o kimś z lokatorów. Moim zdaniem dlatego właśnie została zamordowana.

– Ale jeżeli było to coś aż tak poważnego...

Sally przerwała mu:

– Myślę, że nie miała pojęcia, jak bardzo jest to poważne. Nie była dosyć bystra. Wpadła na coś, ale nie miała pojęcia, że to, co odkryła, jest niebezpieczne. W każdym razie takie mam wrażenie, słuszne czy nie.

– Rozumiem. Dziękuję pani. I jeszcze... ostatni raz widziała pani Celię Austin w salonie, po kolacji wczoraj wieczorem, czy tak?

– Tak. Chociaż, prawdę mówiąc, widziałam ją i później.

– Widziała ją pani i później? Gdzie? W jej pokoju?

– Nie. Kiedy szłam do siebie, ona wychodziła przez frontowe drzwi. Dokładnie w momencie, kiedy ja wychodziłam z salonu.

– Wychodziła przez frontowe drzwi? Wychodziła z domu, to chce pani powiedzieć?

– Tak.

– Dziwne. Nikt inny nic podobnego nie mówił.

– Chyba nie widzieli. Na pewno powiedziała „dobranoc" i że idzie spać. Gdybym jej nie zobaczyła, uważałabym, że poszła spać.

– Tymczasem ona poszła na górę, włożyła okrycie i wyszła z domu. Czy tak? Sally skinęła głową:

– Myślę, że szła spotkać się z kimś.

– Rozumiem. Z kimś z zewnątrz. Albo może był to któryś ze studentów?

– Podejrzewam, że mógł to być ktoś ze studentów. Widzi pan, jeżeli chciała rozmówić się z kimś na osobności, w domu nie bardzo miałaby gdzie to zrobić. Ten ktoś mógł jej zaproponować, żeby wyszła i żeby spotkali się gdzieś poza domem.

– Czy orientuje się pani, kiedy wróciła?
– Nie mam pojęcia.
– Czy Geronimo, ten służący, wiedziałby?
– Wiedziałby, jeżeli przyszła po jedenastej, ponieważ o tej porze rygluje drzwi wejściowe i zakłada łańcuch. Do tego czasu każdy może je sobie otworzyć własnym kluczem.
– Czy pani wie dokładnie, o której widziała ją pani wychodzącą z domu?
– Było chyba koło dziesiątej. Może trochę po dziesiątej, ale niedużo.
– Rozumiem. Dziękuję pani, panno Finch, za informacje.
Na końcu inspektor rozmawiał z Elizabeth Johnston. Od razu uderzyła go spokojna rzeczowość dziewczyny. Odpowiadała inteligentnie i w sposób zdecydowany, po czym oczekiwała kolejnego pytania.
– Celia Austin – mówił inspektor – gwałtownie zaprzeczyła, jakoby to ona zalała pani notatki, panno Johnston. Czy pani jej wierzy?
– Tak jest. Nie sądzę, żeby Celia to uczyniła.
– Nie wie pani, kto to zrobił?
– Oczywista odpowiedź brzmi: Nigel Chapman. Ale wydaje mi się to trochę zbyt oczywiste. Nigel jest inteligentny. Nie użyłby własnego atramentu.
– Jeśli więc nie Nigel, to kto?
– Na to trudniej odpowiedzieć. Myślę jednak, że Celia wiedziała kto albo przynajmniej się domyślała.
– Powiedziała to pani?
– Nie dosłownie, ale wieczorem tego dnia, kiedy umarła, przyszła do mnie przed kolacją. Powiedziała mi, że chociaż popełniła te kradzieże, to nie ona zniszczyła moją pracę. Odpowiedziałam, że przyjmuję jej zapewnienie i zapytałam, czy wie, kto to zrobił?
– Co ona na to?
– Powiedziała – Elizabeth umilkła na chwilę, jak gdyby chcąc uzyskać pewność, że zacytuje dokładnie – powiedziała: „Nie mogę być zupełnie pewna, ponieważ nie rozumiem, dlaczego... Mogłaby to być pomyłka albo przypadek... Jestem przekonana, że ten, kto to zrobił, bardzo tego żałuje i chciałby się przyznać". Dodała jesz-

cze: „Są rzeczy, których nie rozumiem, na przykład te żarówki w dniu, kiedy przyszła policja".

Sharpe przerwał:

– Co to za historia z policją i żarówkami?

– Nie wiem. Celia powiedziała tylko: „Ja ich nie wykręciłam". I jeszcze:

„Zastanawiałam się, czy to ma coś wspólnego z paszportem?" Zapytałam: „O jakim paszporcie mówisz?" Odpowiedziała: „Myślę, że ktoś tu ma fałszywy paszport".

Inspektor milczał przez chwilę. Wreszcie zaczął się, co prawda mgliście, rysować jakiś wzór. Paszport... Spytał: Co jeszcze mówiła?

– Niewiele. Powiedziała tylko: „W każdym razie jutro będę wiedziała więcej".

– Tak powiedziała? „Jutro będę wiedziała więcej". To bardzo ważne, panno Johnston.

– Tak.

Inspektor znowu zamilkł, pogrążając się w rozmyślaniach. Coś o paszporcie i o wizycie policji. Przed przyjściem na Hickory Road starannie przejrzał kartotekę. Pensjonaty dla młodzieży, w których zamieszkiwali cudzoziemscy studenci, znajdowały się pod dość ścisłą obserwacją. Hickory Road 26 cieszyło się dobrą opinią. Były jakieś drobiazgi, ale pozbawione większego znaczenia. Student z Afryki Zachodniej, poszukiwany przez policję za czerpanie zysków z nierządu kobiety, przebywał na Hickory Road kilka dni, przeprowadził się gdzie indziej, a w odpowiednim czasie został złapany i deportowany. Swego czasu sprawdzono też rutynowo wszystkie pensjonaty i domy noclegowe z powodu Euroazjaty „poszukiwanego przez policję w charakterze świadka" w sprawie o zamordowanie żony właściciela pubu w pobliżu Cambridge. Sprawa się wyjaśniła, kiedy ów młody człowiek zgłosił się w komisariacie w Hull i przyznał do popełnienia zbrodni. Było jeszcze śledztwo w związku z rozpowszechnianiem przez pewnego studenta wywrotowych broszur. Wszystkie te incydenty zdarzyły się jakiś czas temu i nie mogły mieć nic wspólnego ze śmiercią Celii Austin.

Inspektor westchnął i spostrzegł utkwione w siebie ciemne, inteligentne oczy Elizabeth Johnston. Pod wpływem impulsu powiedział:

– Proszę mi powiedzieć, panno Johnston, czy pani kiedykolwiek doznała uczucia... wrażenia... że coś w tym domu jest nie w porządku?

Wyglądała na zaskoczoną.

– W jakim sensie „nie w porządku"?

– Nie potrafię doprawdy powiedzieć. Myślę o czymś, co mi powiedziała panna Sally Finch.

– Ach, Sally Finch!

Usłyszał w jej głosie nutę, którą trudno by było określić. Zaciekawiony, ciągnął dalej:

– Panna Finch zrobiła na mnie wrażenie dobrej obserwatorki, bystrej i zarazem praktycznej. Upierała się, że jest coś dziwnego w tym domu, choć nie umiała powiedzieć, co.

Elizabeth zareagowała ostro:

– To jej amerykański sposób myślenia. Oni są wszyscy jednakowi, ci Amerykanie: wystraszeni, nerwowi, podejrzewający nie wiadomo co! Niech pan zauważy, jakich durniów robią z siebie tymi swoimi polowaniami na czarownice, histeryczną manią szpiegowską, obsesją na punkcie komunistów. Sally Finch jest typowa.

Zainteresowanie inspektora wzrastało. Więc Elizabeth nie lubiła Sally Finch. Dlaczego? Ponieważ Sally była Amerykanką? A może Elizabeth nie lubiła Amerykanów tylko i wyłącznie dlatego, że miała swoje powody, by nie przepadać za ładną, rudowłosą amerykańską dziewczyną? Może była to czysto kobieca zazdrość?

Zdecydował się zastosować chwyt, który czasami okazywał się skuteczny. Powiedział gładko:

– Jak zapewne się pani orientuje, panno Johnston, w zakładzie takim jak ten, poziom inteligencji lokatorów jest bardzo różny. Niektórych, właściwie większość, po prostu pytamy o fakty. Ale kiedy trafimy na osobę o wysokiej inteligencji...

Przerwał. Wniosek musiał nasuwać się pochlebny. Czy się na to złapie? Złapała się. Po krótkiej chwili usłyszał:

– Chyba rozumiem, inspektorze. Poziom intelektualny nie jest tu, jak pan zauważył, zbyt wysoki. Nigel Chapman nie jest pozbawiony inteligencji, ale ma umysł płytki. Leonard Bateson to kujon, nic więcej. Valerie Hobhouse ma mózg w dobrym gatunku, ale komercyjne podejście do życia. Poza tym jest zbyt leniwa, żeby swój intelekt wykorzystać do czegokolwiek wartościowego. Panu potrzebny jest obiektywizm sprawnego umysłu.

– Takiego jak umysł pani, panno Johnston.

Przyjęła ten hołd bez protestu. Sharpe z pewnym zainteresowaniem zdał sobie sprawę, że pod skromnym i ujmującym sposobem bycia ta młoda kobieta kryje zdecydowane przekonanie o własnej wyższości.

– Jestem skłonny zgodzić się z panią co do oceny pani kolegów, panno Johnston. Chapman jest w istocie bystry, ale dziecinny. Valerie Hobhouse ma głowę na karku, ale jest zblazowana. Pani posiada, jak to pani określiła, sprawny, wyszkolony umysł. Dlatego cenię pani poglądy, poglądy głębokiego, niezależnego intelektu.

Przez chwilę bał się, czy aby nie przesadził, ale jego obawy okazały się płonne.

– Nie ma tutaj niczego „nie w porządku", inspektorze. Niech pan nie zwraca uwagi na Sally Finch. To przyzwoicie prowadzony dom dla młodzieży. Jestem przekonana, że nie znajdzie pan tu śladu żadnej działalności wywrotowej.

Inspektor Sharpe zdziwił się z lekka: – Nie miałem na myśli działalności wywrotowej.

– Ach, rozumiem. – Była trochę zbita z tropu. – Skojarzyłam pana pytanie z tym, co Celia mówiła o paszporcie. Ale patrząc zupełnie bezstronnie i biorąc pod uwagę cały materiał dowodowy, można z całą pewnością uznać, że powód śmierci Celii był, że tak powiem, prywatny, jakieś problemy seksualne, być może. Jestem pewna, że nie miało to nic wspólnego z tym pensjonatem jako takim, czy z czymkolwiek, co by tu się rzekomo miało dziać. Jestem przekonana, że nic się nie dzieje. Niewątpliwie zauważyłabym, gdyby tak było, jestem bardzo spostrzegawcza.

– Rozumiem. Dziękuję pani, panno Johnston. Była pani niezwykle uprzejma i pomocna.

Elizabeth Johnston wyszła. Inspektor siedział, wpatrując się w zamknięte drzwi. Sierżant Cobb musiał przemówić do niego dwa razy, zanim Sharpe się ocknął.

– Co?

– Powiedziałem, że to już wszyscy, szefie.

– Tak, i jakie rezultaty? Tyle, co kot napłakał. Ale powiem wam coś, Cobb. Wracam tu jutro z nakazem przeszukania. Teraz sobie grzecznie pójdziemy i oni będą myśleli, że to koniec. Ale coś dzieje się w tym domu. Jutro przewrócę go do góry nogami. Nie jest to takie proste, kiedy się nie wie, czego się szuka, ale istnieje szansa, że znajdę coś, co naprowadzi mnie na jakiś ślad. To bardzo interesująca dziewczyna, ta, która w tej chwili wyszła. Ma napoleońskie ego, to silna indywidualność i gotów jestem się założyć, że ona coś wie.

Rozdział XII

I

Podczas dyktowania listu Herkules Poirot zatrzymał się w środku zdania. Panna Lemon spojrzała pytająco.

– Słucham, *monsieur* Poirot?

– Mój umysł błądzi! – machnął ręką. – W końcu ten list nie jest ważny. Niech pani będzie tak dobra, panno Lemon, i połączy mnie telefonicznie ze swoją siostrą.

– Tak jest, *monsieur* Poirot.

Po chwili Poirot przeszedł przez pokój i wziął słuchawkę z rąk swojej sekretarki.

– Allô! – powiedział.

– Słucham, *monsieur* Poirot.

Pani Hubbard była najwyraźniej bez humoru.

– Ufam, że nie niepokoję pani.

– Nic nie jest już w stanie mnie zaniepokoić – odpowiedziała pani Hubbard.

– Nastąpiły jakieś wstrząsy, tak? – delikatnie sondował Poirot.

– Bardzo dobrze pan to określił, *monsieur* Poirot. Dokładnie tak. Inspektor Sharpe skończył wczoraj przepytywanie wszystkich studentów i przyszedł dzisiaj z nakazem rewizji. Mam na głowie panią Nicoletis w ostrym ataku histerii.

Poirot cmoknął współczująco, następnie powiedział: – Mam drobne pytanie. Pani dała mi listę rzeczy, które zginęły oraz wykaz innych dziwnych zdarzeń. Otóż chciałbym zapytać, czy pani spisała tę listę w porządku chronologicznym?

– Nie rozumiem.

– Chodzi mi o to, czy te rzeczy zostały spisane w takiej kolejności, w jakiej ginęły?

– Nie, nie. Spisałam je, jak pamiętałam. Przepraszam, jeżeli wprowadziłam pana w błąd.

– Powinienem był wcześniej panią zapytać – odparł Poirot. – Ale nie przywiązywałem do tego wagi. Mam tu tę listę: jeden wieczorowy pantofelek, bransoletka, pierścionek z brylantem, puderniczka, szminka, stetoskop itd. Powiada pani, że nie jest to porządek, w jakim ginęły?

– Nie.

– A czy mogłaby pani przypomnieć sobie teraz, czy też byłoby to zbyt trudne, jaka była właściwa kolejność?

– Nie jestem pewna, czy mi się to jeszcze uda, *monsieur* Poirot. Widzi pan, upłynęło trochę czasu. Musiałabym pomyśleć. Kiedy po rozmowie z siostrą wiedziałam już, że się zobaczę z panem, przygotowałam tę listę i, jak mi się wydaje, wymieniłam przedmioty w takiej kolejności, jak przychodziły mi na myśl: pantofelek, ponieważ to było takie niezwykłe, następnie bransoletkę, puderniczkę, zapalniczkę oraz pierścionek, bo to były przedmioty dość znaczące i mogłyby wskazywać na robotę autentycznego złodzieja. Potem przypomniały mi się rzeczy mniej ważne, tj. kwas borny, żarówki i plecak. Nie miały one większego znaczenia i przypomniały mi się już po wszystkim.

– Rozumiem – wtrącił Poirot. – Tak, rozumiem… Miałbym do pani prośbę, *madame*, żeby pani usiadła teraz, to jest w wolnej chwili…

– Sądzę, że kiedy mi się uda zapakować do łóżka panią Nicoletis i dać jej coś na uspokojenie, a także rozproszyć obawy Geronima i Marii, znajdę chwilę czasu. Więc co by pan chciał, żebym zrobiła?

– Usiadła i spróbowała odtworzyć tak dokładnie, jak to tylko możliwe, chronologiczny porządek, w jakim te różne zdarzenia następowały.

– Oczywiście, *monsieur* Poirot. Plecak był chyba pierwszy, a potem żarówki, które, moim zdaniem, nie miały żadnego związku z innymi rzeczami, a następnie bransoletka i puderniczka, nie, chyba pantofelek. Ale pan nie chce przecież wysłuchiwać moich przypuszczeń. Spiszę wszystko, jak potrafię najlepiej.

– Dziękuję, *madame*. Będę pani bardzo zobowiązany.

Poirot odwiesił słuchawkę.

– Jestem niezadowolony z siebie – powiedział do panny Lemon. – Odszedłem od zasady porządku i metodyczności. Powinienem był ustalić na samym początku kolejność, w jakiej te kradzieże zostały popełnione.

– To przykre – machinalnie wyraziła swoje współczucie panna Lemon. – Czy będzie pan teraz kończył te listy, *monsieur* Poirot?

Ale Poirot znowu niecierpliwie machnął ręką.

II

Po przybyciu w sobotę rano z nakazem rewizji na Hickory Road inspektor Sharpe zażądał spotkania z panią Nicoletis, która zawsze zjawiała się w soboty, żeby zrobić rachunki z panią Hubbard. Wyjaśnił, z czym przychodzi. Pani Nicoletis energicznie zaprotestowała:

– Ależ to obraza, coś podobnego! Moi studenci wyprowadzą się wszyscy. Będę zrujnowana...

– Nie, nie, proszę pani. Jestem pewien, że podejdą do tego rozsądnie. W końcu chodzi o morderstwo.

– To nie morderstwo, to samobójstwo.

– Jestem przekonany, że kiedy wyjaśnię im powody przeszukania, nikt nie będzie zgłaszał sprzeciwu.

Pani Hubbard wtrąciła pojednawczo: – Na pewno wszyscy zrozumieją. Być może – dodała w zamyśleniu – z wyjątkiem pana Ahmeda Alego i pana Chandry Lala.

– Też coś! – zawołała pani Nicoletis. – Kogo to obchodzi?

– Dziękuję pani – powiedział inspektor. – Wobec tego zacznę tutaj, od pani salonu.

Ta propozycja wywołała ponowny gwałtowny sprzeciw pani Nicoletis.

– Niech pan przeszukuje, co pan chce – oświadczyła – ale tutaj nigdy! Nie zgadzam się.

– Przykro mi, pani Nicoletis, ale muszę przeszukać dom od piwnic do strychu.

– W porządku, ale nie mój pokój. Ja jestem ponad prawem.

– Nikt nie jest ponad prawem. Obawiam się, że będę musiał poprosić, żeby się pani odsunęła.

– To gwałt! – wrzasnęła z furią pani Nicoletis. – Jest pan nadgorliwy i wścibski! Napiszę wszędzie. Napiszę do mojego członka parlamentu. Napiszę do gazet.

– Niech pani pisze, gdzie pani chce – odparł inspektor. – Ja przeszukam ten pokój.

Ruszył prosto w kierunku biurka. Ujawnienie wielkiego pudła ze słodyczami, stosu papierów i znacznej ilości szpargałów uwieńczyło jego trud. Zbliżył się do szafki stojącej w rogu.

– Jest zamknięta. Czy mogę prosić o klucz?

– Nigdy! – wrzasnęła pani Nicoletis. – Nigdy, nigdy, nigdy nie dostanie pan klucza. Ty bestio, ty policyjna świnio, pluję na ciebie! Pluję! Pluję! Pluję!

– Niemniej może mi pani dać klucz – powiedział inspektor Sharpe. – Jeśli nie, wyważę zamek.

– Nie dam panu klucza! Będzie pan musiał zerwać ze mnie ubranie, żeby dostać klucz! A to... to będzie skandal.

– Przynieście dłuto, Cobb – polecił z rezygnacją inspektor.

Pani Nicoletis wydała okrzyk wściekłości. Inspektor Sharpe nie zwracał na nią uwagi. Przyniesiono dłuto. Rozległ się ostry trzask, potem drugi i drzwiczki otworzyły się gwałtownie. Z szafki wysypała się bateria pustych butelek po koniaku.

– Zwierzę! Świnia! Diabeł! – darła się pani Nicoletis.

– Dziękuję pani – grzecznie powiedział inspektor. – Skończyliśmy tutaj.

Pani Hubbard taktownie włożyła butelki z powrotem, a pani Nicoletis dostała ataku histerii.

Jedna tajemnica, tajemnica humorów pani Nicoletis, została wyjaśniona.

III

Poirot zatelefonował w chwili, kiedy pani Hubbard nalewała odpowiednią dawkę środka uspokajającego z prywatnej apteczki w swoim saloniku. Odłożywszy słuchawkę wróciła do pani Nicoletis, którą zostawiła wrzeszczącą i kopiącą na sofie w jej własnym pokoju.

– Proszę teraz to wypić – rozkazała pani Hubbard – a poczuje się pani lepiej.

– Gestapo! – stwierdziła pani Nicoletis, spokojna już, ale markotna.

– Nie myślałabym już o tym na pani miejscu – kojąco odezwała się pani Hubbard.

– Gestapo! – powtórzyła pani Nicoletis. – Gestapo! Oto czym są.

– Muszą spełniać swój obowiązek, pani wie – zauważyła pani Hubbard.

– Czy do ich obowiązku należy włamywanie się do moich prywatnych szafek? Mówię im: „to nie dla was". Zamykam na klucz. Klucz trzymam za dekoltem. Gdyby pani nie była tu jako świadek, zerwaliby ze mnie ubranie bez odrobiny wstydu.

– Ależ skąd, nie sądzę, żeby zrobili coś podobnego – uspokajała ją pani Hubbard.

– To pani tak mówi! Zamiast tego biorą dłuto i wyważają mi drzwi. To jest uszkodzenie majątku tego domu, za który ja będę ponosić odpowiedzialność.

– No cóż, skoro nie chciała im pani dać klucza...

– Dlaczego miałabym dawać im klucz? To mój klucz. Mój prywatny klucz. A to mój prywatny pokój. Mój prywatny pokój i mówię tym policjantom: „Proszę się trzymać z daleka". A oni swoje.

– Pani Nicoletis, proszę pamiętać w końcu, że zostało popełnione morderstwo. A w takiej sytuacji trzeba się pogodzić z pewnymi rzeczami, które w normalnych okolicznościach możemy uważać za niezbyt przyjemne.

– Pluję na tę teorię morderstwa! – zawołała pani Nicoletis. – Ta mała Celia popełniła samobójstwo. Miała głupi romans i zażyła truciznę. Takie rzeczy się zawsze zdarzają. One tak głupio traktują miłość, te dziewczyny. Jakby miłość miała jakieś znaczenie. Rok, dwa i wszystko się kończy, cała wielka namiętność! Ale te durne dziewczyny nie wiedzą tego. Ten mężczyzna czy inny, co za różnica! Wypijają leki nasenne, środki dezynfekujące lub otwierają gaz i jest za późno.

– No cóż – powiedziała pani Hubbard, niejako zataczając pełny krąg do punktu, w którym rozmowa się zaczęła. – Nie martwiłabym się już tym więcej.

– Dobrze pani mówić. Ja muszę się martwić. Nie jestem już bezpieczna.

– Bezpieczna? – pani Hubbard spojrzała na nią ze zdumieniem.

– To była moja prywatna szafka – upierała się pani Nicoletis. – Nikt nie wiedział, co było w mojej prywatnej szafce. Nie chciałam, żeby wiedzieli. A teraz wiedzą. Bardzo się martwię. Będą myśleć... Co mogą myśleć?

– O kim pani mówi?

Pani Nicoletis wzruszyła rozłożystymi, pięknymi ramionami i popatrzyła ponuro.

– Pani tego nie rozumie – powiedziała. – Ale ja się martwię. Bardzo się martwię.

– Lepiej niech mi pani powie – nalegała pani Hubbard. – Może będę mogła pani pomóc.

– Chwała Bogu, że nie sypiam tutaj – ciągnęła pani Nicoletis. – Te zamki w drzwiach są wszystkie jednakowe. Jeden klucz pasuje do każdych drzwi. Dzięki Ci, Panie, że ja tu nie nocuję.

Pani Hubbard nie dawała za wygraną:

– Pani Nicoletis, jeśli się pani czegoś obawia, czy nie byłoby lepiej, gdyby mi pani powiedziała, czego konkretnie?

Pani Nicoletis spojrzała na nią przelotnie swoimi ciemnymi oczami i natychmiast odwróciła wzrok.

– Sama pani to powiedziała – rzekła wymijająco. Sama pani powiedziała, że w tym domu zostało popełnione morderstwo. Trudno się więc dziwić, że człowiek czuje się nieswojo. Kto będzie następny? Nie wiadomo nawet, kim jest morderca. To dlatego, że policja jest taka tępa albo może została przekupiona.

– Mówi pani nonsensy i wie pani o tym – zareplikowała pani Hubbard. – Proszę mi jednak powiedzieć, czy ma pani jakiś rzeczywisty powód do niepokoju...

Pani Nicoletis swoim zwyczajem wpadła w złość:

– Ach, pani uważa, że nie mam powodu do niepokoju? Pani, jak zwykle, wie najlepiej! Pani wie wszystko! Pani jest taka wspaniała: pani zaopatruje dom, pani zarządza, pani wydaje pieniądze garściami na jedzenie, tak że studenci panią uwielbiają, a teraz jeszcze chce pani kierować moimi sprawami! Ale nic z tego! Moje sprawy to moje sprawy i nikt mi się nie będzie wtrącał, słyszy pani? Nic z tego, moja pani Wtrącalska.

– Jak pani sobie życzy – odpowiedziała pani Hubbard, tracąc cierpliwość.

– Pani jest szpiegiem, zawsze to wiedziałam.

– Co mianowicie szpieguję?

– Nic – odburknęła pani Nicoletis. – U mnie nie ma nic do szpiegowania. Jeśli pani sądzi, że jest, to dlatego że pani to wymyśliła. Jeśli będą rozsiewane o mnie jakieś kłamstwa, będę wiedziała, kto je rozpowiada.

– Jeśli pani sobie życzy, żebym odeszła, proszę to tylko powiedzieć.

– Nie, nie wolno pani odejść. Zabraniam pani. Nie w tej chwili, kiedy mam na głowie policję, morderstwo... wszystko. Nie pozwolę, żeby mnie pani opuściła.

– Dobrze, już dobrze – westchnęła z rezygnacją pani Hubbard. – Ale czasem, doprawdy, trudno domyślić się, czego pani chce. Myślę, że czasem pani sama tego nie wie. Najlepiej będzie, jak się pani położy na moim łóżku i prześpi...

Rozdział XII

Herkules Poirot wysiadł z taksówki przy Hickory Road 26. Geronimo, który mu otworzył, powitał go jak starego przyjaciela. W holu stał policjant, więc Geronimo zaciągnął Poirota do jadalni i zamknął drzwi.

– To straszne – szeptał, pomagając detektywowi zdjąć płaszcz. – Mamy tu policję cały czas! Zadają pytania, idą tu, idą tam, zaglądają do szaf, zaglądają do szuflad, wchodzą nawet do Marii do kuchni. Maria bardzo zła. Mówi, że chce zdzielić policjanta wałkiem, ale ja mówię lepiej nie. Mówię, że policjant nie lubi dostać wałkiem i może narobić nam więcej kłopotu, jak Maria go zdzieli.

– Macie rozum – pochwalił go Poirot. – Czy pani Hubbard nie jest zajęta?

– Zaprowadzę pana do niej na górę.

– Chwileczkę – zatrzymał go Poirot. – Czy pamiętacie dzień, w którym zniknęły niektóre żarówki?

– O tak, ja pamiętam. Ale to już dawno. Miesiąc, dwa, trzy temu.

– Skąd dokładnie zabrano te żarówki?

– Jedną z holu, a drugą chyba z salonu. Ktoś żartuje. Bierze wszystkie żarówki.

– Czy pamiętacie dokładną datę?

Geronimo przybrał minę wyrażającą głęboki namysł:

– Nie pamiętam, ale to było tego dnia, jak przychodzi policjant, chyba w lutym.

– Policjant? Po co przychodził tu policjant?

– Przychodzi pytać panią Nicoletis o studenta. Bardzo zły ten student, on przyjeżdża z Afryki. Nie do pracy. Idzie do biura pośrednictwa, dostaje zasiłek, potem ma kobietę i ona wychodzi z mężczyznami dla niego. To bardzo złe. Policja nie lubi tego. To wszystko w Manchesterze albo chyba w Sheffield. Tak że on uciekł stamtąd i tu przyjeżdża, ale policja przychodzi za nim i rozmawia o nim z panią Hubbard. Tak. A ona mówi, on tu już nie mieszka, bo jej się nie spodobał i kazała, żeby sobie poszedł.

– Rozumiem. Próbowali trafić na jego ślad.

– *Scusi*?

– Próbowali go znaleźć?

– Tak, tak, zgadza się. Znajdują go i zamykają do więzienia, bo on żyje z kobiety, a zabronione żyć z kobiety. Tu jest przyzwoity dom. Takie rzeczy nie tu.

– I tego dnia zginęły żarówki?

– Tak. Bo przekręcam kontakt i nic. Idę do salonu, a tam nie ma żarówki i otwieram szufladę po zapasowe, i widzę żarówek też nie ma. Więc idę do kuchni i pytam Marii, czy wie, gdzie zapasowe żarówki, ale ona zła, bo nie lubi, jak przyjdzie policja, i mówi, że zapasowe żarówki nie jej interes, więc przynoszę tylko świece.

Poirot przetrawiał tę opowieść, podążając za Geronimem schodami w górę do pokoju pani Hubbard, która powitała go ciepło. Robiła wrażenie zmęczonej i skłopotanej. Od razu wręczyła mu kartkę.

– Zrobiłam, co mogłam, *monsieur* Poirot, żeby spisać te rzeczy we właściwej kolejności, bałabym się jednak twierdzić, że jest to stuprocentowo ścisłe. Widzi pan, bardzo jest trudno, obejmując pamięcią okres kilku miesięcy, przypomnieć sobie dokładnie, kiedy to czy tamto się wydarzyło.

– Jestem pani głęboko wdzięczny, *madame*. A jak czuje się pani Nicoletis?

– Dałam jej coś na uspokojenie i mam nadzieję, że teraz śpi. Podniosła straszny krzyk z powodu tego nakazu rewizji. Nie chciała otworzyć szafki w swoim pokoju, tak że inspektor sforsował drzwiczki i wysypały się stamtąd niezliczone ilości pustych butelek po koniaku.

– Ach tak – Poirot chrząknął taktownie.

– Co bardzo wiele wyjaśnia – kontynuowała pani Hubbard. – Naprawdę nie umiem powiedzieć, dlaczego nie pomyślałam o tym wcześniej. W końcu jeśli chodzi o skłonność do alkoholu, to napatrzyłam się tego dosyć w Singapurze. Jestem jednak pewna, że to pana nie interesuje.

– Wszystko mnie interesuje – zapewnił Poirot. Usiadł i studiował kartkę pani Hubbard.

– Ach tak – powiedział po chwili. – Widzę, że teraz plecak zajmuje pierwsze miejsce.

– Tak. To nie było takie ważne, ale teraz przypominam sobie z całą pewnością, że zdarzenie z plecakiem nastąpiło, zanim zaczęła ginąć biżuteria i tak dalej. Zbiegło się to w czasie z pewnym problemem, jaki stanowił dla mnie pobyt jednego z kolorowych studentów. Wyprowadził się jakiś dzień czy dwa przed tym zdarzeniem i pamiętam, że sobie nawet pomyślałam, czy to nie on się tak zemścił przed odejściem. Mieliśmy tu w związku z nim pewien... kłopot.

– Istotnie, Geronimo coś mi na ten temat relacjonował. Jak rozumiem, była tutaj wówczas policja? Czy to prawda?

– Owszem. Mieli, zdaje się, informacje z Sheffield czy Birmingham, czy jeszcze skądś indziej. Chodziło o pewien skandal. Niemoralne czerpanie zysków i takie sprawy. Później odpowiadał przed sądem. U nas był tylko jakieś trzy, cztery dni. Nie spodobało mi się jego zachowanie, to, jak sobie poczynał, więc mu powiedziałam, że jego pokój jest zajęty i musi się wyprowadzić. Wcale się nie zdziwiłam, kiedy przyszła policja. Oczywiście, nie potrafiłam im powiedzieć, dokąd poszedł od nas, ale łatwo wpadli na jego ślad.

– I potem odkryła pani ten plecak?

– Tak, chyba tak, dokładnie nie pamiętam. Widzi pan, Len Bateson wybierał się na wycieczkę autostopem i nigdzie nie mógł znaleźć swego plecaka. Zrobił okropną awanturę, wszyscy zaczęli na gwałt szukać i w końcu Geronimo znalazł go za bojlerem, porwany na strzępy. Bardzo to było dziwne, takie niezrozumiale i bezsensowne, *monsieur* Poirot.

– Istotnie – zgodził się Poirot. – Niezrozumiałe i bezsensowne.

Zamyślił się na chwilę.

– I tego samego dnia, to znaczy tego dnia, kiedy policja przyszła zapytać o tamtego afrykańskiego studenta, zniknęły żarówki, tak przynajmniej mówił mi Geronimo. Czy to było tego dnia?

– Nie bardzo pamiętam. Tak, tak, chyba pan ma rację, ponieważ przypominam sobie, że zeszłam na dół z inspektorem policji i weszliśmy do salonu, a tam paliły się świece. Chcieliśmy zapytać Akibombo, czy tamten młody człowiek może z nim rozmawiał i ewentualnie mu powiedział, gdzie ma się zamiar zatrzymać.

– Kto jeszcze był w salonie?

– Chyba większość studentów wróciła już do domu. Był już wieczór, wie pan, około godziny szóstej. Zapytałam Geronima o te żarówki, a on powiedział, że są wykręcone. Zapytałam, czemu nie wkręcił nowych, a on na to, że w ogóle nie mamy żarówek. Zirytował mnie taki głupi, bezsensowny żart. Uważałam to wtedy za żart, nie za kradzież, zdziwiłam się jednak, że zabrakło żarówek, ponieważ zwykle trzymamy spory zapas. Ale nie zastanawiałam się nad tym specjalnie, nie wtedy, *monsieur* Poirot.

– Żarówki i plecak – powiedział w zamyśleniu Poirot.

– Nadal jednak wydaje mi się możliwe – ciągnęła pani Hubbard – że te dwie sprawy nie miały żadnego związku z przewinieniami biednej Celii. Pamięta pan, że bardzo stanowczo zaprzeczyła, jakoby kiedykolwiek dotykała plecaka.

– To prawda. Jak szybko potem zaczęły się kradzieże?

– Och, *monsieur* Poirot, nie ma pan pojęcia, jak trudno to sobie przypomnieć. Zaraz, to był marzec, nie, luty, koniec lutego. Tak, tak, chyba jakiś tydzień później Genevieve powiedziała, że zginęła jej bransoletka. Tak, między dwudziestym a dwudziestym piątym lutego.

– A później kradzieże następowały dość regularnie jedna po drugiej?

– Tak.

– Plecak należał do Lena Batesona?

– Tak.

– Bardzo go rozzłościło jego zniszczenie?

– Niech się pan za bardzo nie sugeruje tym, co przedtem mówiłam – pani Hubbard uśmiechnęła się. – Len Bateson już taki jest. Ma dobre serce, jest wielkoduszny, życzliwy ludziom aż do przesady, ale jednocześnie odznacza się gwałtownym, wybuchowym temperamentem.

– Czy to był jakiś szczególny plecak?

– Ach nie, najzupełniej zwyczajny.

– Czy mogłaby mi pani pokazać podobny?

– Tak, oczywiście. Chyba Colin ma identyczny. Także Nigel, a po prawdzie i Len również, bo musiał sobie kupić nowy. Studenci kupują je zwykle w sklepie na końcu ulicy. Mają tam bardzo dobry sprzęt campingowy i ubrania na wycieczki. Szorty, śpiwory, tego typu rzeczy. I bardzo tanio, o wiele taniej niż w dużych magazynach.

– Gdybym mógł zobaczyć jeden z tych plecaków, *madame*?

Pani Hubbard zaprowadziła detektywa do pokoju Colina McNabba. Colina nie było, ale pani Hubbard otworzyła szafę, pochyliła się i wyciągnęła plecak, który podała Poirotowi.

– Proszę bardzo, *monsieur* Poirot. Jest dokładnie taki sam, jak ten, który zginął, a który potem znalazł się pocięty.

– Nie tak łatwo go pociąć – mruknął Poirot, z uznaniem macając plecak. – Niewiele da się tu zdziałać małymi nożyczkami.

– Na pewno nie. Trudno sobie wyobrazić, żeby... na przykład, mogła to zrobić dziewczyna. Powiedziałabym, że wymagało to pewnej siły. Siły, a także złośliwości, wie pan.

– Wiem, tak wiem. Nie jest to przyjemne. Nie jest przyjemnie o tym myśleć.

– A potem, kiedy znaleziono apaszkę Valerie, także w strzępach, pomyślałam sobie, że... jakby to powiedzieć... wygląda to na działanie niepoczytalne.

– Czy tak? Myślę, że tu się pani myli, *madame*. W tym działaniu nie ma nic niepoczytalnego. Ma ono cel i zamysł, i powiedziałbym, metodę.

– Cóż, pan się zna na tych sprawach lepiej niż ja, *monsieur* Poirot – zgodziła się pani Hubbard. – Ja wiem tylko tyle, że mi się to nie podoba. O ile mogę sądzić, mamy tu bardzo miłą gromadkę młodych ludzi i byłoby mi niezmiernie przykro pomyśleć, że jedno z nich jest... nie takie, jakim bym je chciała widzieć.

Poirot podszedł do drzwi balkonowych. Otworzył je i znalazł się na staroświeckim balkonie. Pokój wychodził na tyły domu. Poniżej znajdował się mały, zaniedbany ogródek.

– Tu jest ciszej niż od frontu, prawda? – spytał.

– Może. Ale Hickory Road nie jest hałaśliwą ulicą. A znowu z tej strony słyszy się całą noc koty. Drą się, strącają pokrywy z pojemników na śmiecie.

Poirot spojrzał w dół na cztery duże poobijane pojemniki na popiół oraz najrozmaitsze podwórzowe rupiecie.

– Gdzie jest kotłownia?

– Tam są drzwi, zaraz obok szopy z węglem.

– Widzę.

Spoglądał w dół w zamyśleniu.

– Czyje jeszcze pokoje wychodzą na tę stronę?

– Obok jest pokój Nigela Chapmana i Lena Batesona.

– A dalej?

– Dalej to już następny budynek i pokoje dziewcząt. Pierwszy był Celii, w następnym mieszka Elizabeth Johnston, a w ostatnim Patricia Lane. Valerie i Jean Tomlinson mają pokoje od ulicy.

Poirot kiwnął głową i wrócił do pokoju.

– Schludny jest ten młody człowiek – mruknął, rozglądając się wokół z uznaniem.

– Tak. U Colina jest zawsze porządek. Niektórzy chłopcy mieszkają w straszliwym bałaganie – objaśniła pani Hubbard. – Szkoda, że nie widział pan pokoju Lena Batesona. Ale to miły chłopak, *monsieur* Poirot – dodała wyrozumiale.

– Powiada pani, że plecaki kupuje się w sklepie na końcu ulicy?

– Tak.

– Jak się ten sklep nazywa?

– Wie pan, *monsieur* Poirot, kiedy mnie pan tak pyta, nie mogę sobie przypomnieć. Chyba Mabberley. Albo Kelso. Wiem, że nie brzmi to zbyt podobnie, ale dla mnie to jakby ten sam typ nazwy. Prawdopodobnie dlatego, że znałam kiedyś rodzinę o nazwisku Kelso oraz inną, noszącą nazwisko Mabberley i wszyscy ci ludzie wydawali mi się identyczni.

– Aha – powiedział Poirot. – To jedna z tych rzeczy, które mnie zawsze fascynują. Niewidoczne ogniwo.

Jeszcze raz wyjrzał przez okno na ogródek, następnie pożegnał panią Hubbard i wyszedł z pensjonatu.

Poszedł Hickory Road do rogu i skręcił w główną ulicę. Bez trudu rozpoznał opisany przez panią Hubbard sklep. Na wystawie znajdowały się w dużej ilości koszyki na prowiant, plecaki, termosy, sprzęt sportowy wszelkiego rodzaju, szorty, bluzy, hełmy tropikalne, namioty, kostiumy kąpielowe, lampy rowerowe, latarki – jednym słowem wszystko, o czym tylko może zamarzyć wysportowana młodzież. Na szyldzie, jak zauważył, nie było ani nazwiska Mabberley, ani Kelso, ale Hicks. Przyjrzawszy się uważnie wystawionym w oknie towarom, Poirot wkroczył do sklepu i wyraził życzenie nabycia plecaka dla rzekomego siostrzeńca.

– On robi *le camping* rozumie pan – wyjaśnił, starając się, by brzmiało to jak najbardziej z cudzoziemska – idzie na nogach z innymi studentami i wszystko, co potrzebuje, niesie na plecach, a samochody i ciężarówki, które jadą, go zabierają.

Właściciel, niski, usłużny mężczyzna o rudawoblond włosach, zrozumiał w lot.

– Ach, autostop – powiedział. – Oni wszyscy dzisiaj to uprawiają. Autobusy i koleje muszą ponosić duże straty. Niektórzy z tych młodych ludzi objeżdżają autostopem całą Europę. Szanowny pan życzy sobie plecak. Zwykły plecak?

– Ja tak rozumiem. Owszem. Ma więc pan różne?

– Mamy kilka lżejszych dla pań, ale tu jest model standardowy. Dobry, mocny, nie do zdarcia i naprawdę tani, może mi pan wierzyć.

Wyciągnął solidny płócienny plecak, będący, o ile Poirot mógł ocenić, dokładną kopią tego, który oglądał w pokoju Colina. Obejrzał go starannie, zadał kilka dziwacznych i niepotrzebnych pytań, po czym z miejsca zapłacił gotówką.

– Tak, tak, wiele ich sprzedajemy – mówił mężczyzna, pakując plecak.

– Dużo studentów mieszka w pobliżu, tak?

– Tak. W tej okolicy mieszka wielu studentów.

– Jest jeden dom młodzieżowy, tak mi się wydaje, na Hickory Road?

– Tak jest, sprzedałem kilka różnych artykułów młodym panom stamtąd. I młodym panienkom. Zwykle tu przychodzą kupić, co im potrzeba, zanim wybiorą się na wycieczkę. U mnie ceny są niższe niż w wielkich magazynach i zawsze im to mówię. Proszę bardzo, paczka gotowa. Jestem pewien, że pański siostrzeniec nie będzie miał powodów do narzekań.

Poirot podziękował i wyszedł z plecakiem.

Przeszedł może ze dwa kroki, kiedy poczuł rękę na ramieniu. Był to inspektor Sharpe.

– Oto człowiek, którego chciałem zobaczyć – powiedział Sharpe.

– Skończył pan przeszukiwanie domu?

– Tak, ale nie wiem, czy cokolwiek osiągnąłem. Tutaj zaraz jest lokal, gdzie można dostać bardzo przyzwoitą kanapkę i filiżankę kawy. Niech pan pójdzie ze mną, jeśli nie jest pan zajęty. Chciałbym z panem pogadać.

Barek był prawie pusty. Obaj mężczyźni zanieśli swoje talerze i filiżanki do małego stolika w rogu. Sharpe opowiedział o wynikach swoich rozmów ze studentami.

– Jedyną osobą, przeciw której mamy w ogóle jakieś dowody – mówił – jest młody Chapman. Ale sęk w tym, że mamy ich aż za wiele. Trzy rodzaje trucizn przeszły przez jego ręce! Nie ma jednak powodu sądzić, że żywił wrogie uczucia wobec Celii. Poza tym wątpię, czy zwierzałby się tak szczerze ze swoich działań, gdyby był naprawdę winien.

– To jednak otwiera i inne możliwości.

– Tak, te wszystkie trucizny wrzucone do szuflady. Głupi, młody osioł!

Przeszedł do Elizabeth Johnston i jej relacji o tym, co słyszała od Celii.

– Jeżeli mówiła prawdę, jest to ważne.

– Bardzo ważne – zgodził się Poirot.

Inspektor zacytował: „Jutro będę wiedziała więcej".

– Niestety „jutro" nie nadeszło dla tej biednej dziewczyny. Czy pańskie przeszukanie domu coś dało?

– Wyszło parę rzeczy, które były... jakby tu powiedzieć?... raczej niespodziewane.

– Na przykład?

– Elizabeth Johnston jest członkiem Partii Komunistycznej. Znaleźliśmy jej legitymację partyjną.

– Tak – powiedział Poirot w zamyśleniu. – To interesujące.

– Nie spodziewałby się pan tego – ciągnął inspektor Sharpe. – Ja też nie, dopóki jej wczoraj nie przesłuchałem. Ta dziewczyna ma osobowość.

– Moim zdaniem stanowiła cenny nabytek dla partii – zauważył Poirot. – To młoda kobieta nieprzeciętnie inteligentna.

– Dla mnie było to interesujące – zwierzał się inspektor Sharpe – ponieważ, jak się wydaje, nigdy nie obnosiła się z tymi sympatiami. Nie puściła pary z ust na Hickory Road. Nie widzę, jakie to mogłoby mieć znaczenie w związku ze sprawą Celii Austin, ale trzeba o tym pamiętać.

– Co jeszcze pan znalazł?

Inspektor Sharpe wzruszył ramionami.

– Panna Patricia Lane miała w szufladzie chusteczkę dość obficie poplamioną zielonym atramentem.

Poirot uniósł brwi.

– Zielonym atramentem? Patricia Lane! Więc może to ona wzięła atrament, wylała go na notatki Elizabeth Jonston, a potem wytarła ręce. Ale chyba...

– Chyba nie chciałaby, żeby podejrzewano jej kochanego Nigela – skończył za niego Sharpe.

– Tak by się wydawało. Oczywiście ktoś inny mógł włożyć jej chusteczkę do szuflady.

– Całkiem prawdopodobne.

– Coś jeszcze?

– No cóż – odezwał się po dłuższej chwili Sharpe – zdaje się, że ojciec Leonarda Batesona jest pacjentem szpitala dla umysłowo chorych w Longwith Vale. Nie przypuszczam, żeby miało to jakieś szczególne znaczenie, ale...

– Ale ojciec Lena Batesona jest umysłowo chory. Prawdopodobnie ma pan rację, że nie jest to istotne, ale warto ten fakt mieć na uwadze. Byłoby jeszcze lepiej dowiedzieć się, na jakiego rodzaju manię cierpi.

– Bateson to sympatyczny chłopak – powiedział Sharpe – ale trzeba przyznać, że charakter ma dość wybuchowy.

Poirot przytaknął. Nagle żywo przypomniały mu się słowa Celii: „Oczywiście, nie pocięłam plecaka. To musiał być wybuch złości". Skąd wiedziała, że był to wybuch złości? Czy widziała, jak Len Bateson znęca się nad plecakiem? Wracając do chwili obecnej usłyszał, jak Sharpe mówi, uśmiechając się szelmowsko:

–... a pan Ahmed Ali trzyma mocno pornograficzną literaturę i widokówki, co tłumaczy, dlaczego tak się wściekał z powodu rewizji.

– Musiało niewątpliwie być wiele protestów?

– Szkoda mówić! Francuzka dostała histerii, a Hindus, pan Chandra Lal, groził, że nada temu zdarzeniu rangę międzynarodową. W jego rzeczach znaleźliśmy parę wywrotowych broszur – zwykłe niedowarzone teorie – natomiast jeden ze studentów zachodnioafrykańskich miał raczej przerażającą kolekcję suwenirów i fetyszy. Tak, nakaz przeszukania z pewnością pozwala się zapoznać ze szczególną stroną natury ludzkiej. Słyszał pan o pani Nicoletis i jej prywatnej szafce?

– Tak, słyszałem o tym.

Inspektor uśmiechnął się szeroko.

– W życiu nie widziałem tylu pustych butelek po koniaku. Ależ była na nas wściekła!

Wybuchnął śmiechem, po czym nagle spoważniał.

– Nie znaleźliśmy jednak tego, o co nam chodziło – zauważył. – Żadnych paszportów, poza ściśle legalnymi.

– Chyba się pan nie spodziewa, żeby taka rzecz, jak fałszywy paszport miała leżeć ot tak sobie i czekać, aż pan ją znajdzie, *mon ami*. Nigdy nie miał pan okazji złożyć oficjalnej wizyty na Hickory Road 26 w związku z paszportem, prawda? Powiedzmy, w ciągu ostatnich sześciu miesięcy?

– Nie. Wymienię panu wszystkie powody, z których byliśmy na Hickory Road w okresie, o którym pan mówi.

Wymienił je szczegółowo.

Poirot słuchał ze zmarszczonymi brwiami.

– Wszystko to jest bez sensu – skomentował. – Całość nabiera sensu, jeżeli zaczniemy od początku.

– Co pan nazywa początkiem?

– Plecak, mój przyjacielu – łagodnie powiedział Poirot. – Plecak. Wszystko zaczęło się od plecaka.

Rozdział XIV

I

Pani Nicoletis wchodziła po schodach na górę. Wracała z sutereny, gdzie jej się właśnie udało doprowadzić do białej gorączki zarówno Geronima, jak humorzastą Marię.

– Kłamcy i złodzieje – oznajmiła głośno i triumfalnie. – Wszyscy Włosi to kłamcy i złodzieje.

Pani Hubbard, schodząc akurat ze schodów, westchnęła z irytacją:

– Szkoda ich denerwować, kiedy właśnie przygotowują kolację.

– Co mnie to obchodzi – rzuciła pani Nicoletis. – Ja nie będę na kolacji.

Pani Hubbard stłumiła szorstką odpowiedź cisnącą się jej na usta.

– Przyjdę, jak zwykle, w poniedziałek – powiedziała pani Nicoletis.

– Tak, proszę pani.

– I proszę, niech pani zaraz z samego rana w poniedziałek wezwie kogoś, żeby naprawił drzwiczki w mojej szafce. Rachunek wyśle pani na policję, rozumie pani? Na policję.

Pani Hubbard spojrzała z powątpiewaniem.

– Proszę też, żeby wkręcono żarówki w tych ciemnych korytarzach, mocniejsze żarówki. W korytarzach jest za ciemno.

– Pani mówiła wyraźnie, że życzy sobie słabszych żarówek w korytarzach, ze względów oszczędnościowych.

– To było w zeszłym tygodniu – odparła oschle pani Nicoletis. – Teraz to co innego. Teraz oglądam się przez ramię i myślę sobie: „Kto idzie za mną”?

Pani Hubbard zastanawiała się, czy jej pracodawczyni dramatyzuje, czy też istotnie obawia się kogoś lub czegoś. Pani Nicoletis miała zwyczaj przesadzać ze wszystkim do tego stopnia, że nigdy nie było wiadomo, na ile można polegać na jej słowach.

Odezwała się niepewnie:

– Może nie powinna pani iść sama do domu? Chce pani, żebym z panią poszła?

– Tam będę bezpieczniejsza niż tutaj, tyle mogę pani powiedzieć!

– Ale czego się pani boi? Gdybym wiedziała, może bym mogła...

– Nie pani interes. Nic pani nie powiem. Nieznośny jest ten pani zwyczaj ciągłego zadawania mi pytań.

– Przepraszam, naprawdę...

– Teraz jest pani obrażona – pani Nicoletis obdarzyła ją promiennym uśmiechem. – Jestem nieopanowana i opryskliwa, to prawda. Ale mam dużo zmartwień. I proszę pamiętać, że ufam pani i polegam na pani. Co ja bym bez pani zrobiła, kochana pani Hubbard, doprawdy nie wiem. Proszę, posyłam pani całusa. Życzę miłego weekendu. Dobranoc.

Pani Hubbard patrzyła, jak tamta wychodzi i zamyka za sobą frontowe drzwi. Dając upust swoim uczuciom, aczkolwiek w sposób niedoskonały, za pomocą okrzyku „to dopiero!", zawróciła w kierunku kuchennych schodów.

Pani Nicoletis zeszła po frontowych stopniach, minęła furtkę i skręciła w lewo. Hickory Road była dość szeroką ulicą. Domy stały w pewnej odległości od chodnika, w ogrodach. U wylotu ulicy, parę minut drogi od numeru 26 przebiegała jedna z głównych arterii londyńskich, którą pędziły autobusy. Na końcu Hickory Road błyskały światła sygnalizacyjne, a na rogu znajdował się pub „Naszyjnik Królowej". Pani Nicoletis szła środkiem chodnika, od czasu do czasu oglądając się przez ramię, ale nie widać było żywego ducha. Hickory Road wydawała się tego wieczoru niezwykle wyludniona. Zbliżając się do „Naszyjnika Królowej", pani Nicoletis przyspieszyła kroku. Raz jeszcze spojrzała szybko na prawo i lewo, i z miną winowajcy wślizgnęła się do lokalu.

Przy barze zamówiła podwójny koniak. W miarę jak sączyła trunek drobnymi łykami, wracał jej dobry nastrój. Nie była już tą wystraszoną, niespokojną kobietą sprzed paru minut. Jednakże jej wrogość wobec policji nie zmalała. Mruknęła pod nosem: „Gestapo! Zmuszę ich do zapłacenia. Tak, zapłacą mi!", po czym wychyliła koniak do dna. Zamówiła następny i pogrążyła się w zadumie nad niedawnymi wydarzeniami. Nieszczęśliwie, bardzo nieszczęśliwie się złożyło, że policja okazała się tak nietaktowna i odkryła jej sekretne zapasy. Trudno było liczyć, że nie dowiedzą się o tym studenci oraz pozostali mieszkańcy domu. Pani Hubbard może będzie dyskretna, a może i nie będzie, bo tak naprawdę komu można ufać? Takie rzeczy zawsze się rozchodzą. Geronimo wiedział. Prawdopodobnie już poinformował swoją żonę, a ona powie sprzątaczkom i tak rozniesie się to jeszcze dalej, aż...

Wzdrygnęła się gwałtownie, kiedy ktoś odezwał się za nią:

– Proszę, proszę, pani Nick. Kto by się spodziewał, że to pani ulubione miejsce.

Odwróciła się błyskawicznie i wydała westchnienie ulgi.

– Ach, to ty – powiedziała. – Myślałam...

– Myślała pani, że kto? Groźny, zły wilk? Co pani pije? Stawiam następnego.

– To wszystko przez te zmartwienia – wyjaśniła z godnością pani Nicoletis. – Ci policjanci rewidują mi dom, działają wszystkim na nerwy. Moje biedne serce. Muszę bardzo uważać na serce. Nie przepadam za alkoholem, ale rzeczywiście zrobiło mi się słabo, jak wyszłam. Pomyślałam, że kropelka koniaku...

– Nie ma to jak koniak. Bardzo proszę.

Pani Nicoletis opuściła pub „Naszyjnik Królowej" w chwilę potem, odrodzona i szczęśliwa. Zdecydowała, że nie pojedzie autobusem. Noc jest taka piękna, a powietrze dobrze jej zrobi. Tak, z całą pewnością powietrze dobrze jej zrobi. Nie żeby, ściśle biorąc, chwiała się na nogach, ale czuła się troszeczkę niepewnie. Może trzeba było sobie darować jeden koniak, ale powietrze szybko ją otrzeźwi. W końcu, dlaczego dama nie mogłaby od czasu do czasu pozwolić sobie na dyskretny kieliszeczek we własnym pokoju? Co w tym złego? Przecież nigdy by nie pozwoliła, żeby ktoś zobaczył ją wstawioną. Wstawioną? Jasne, że nigdy nie była wstawiona. Poza tym, jeśli im się nie podoba, jeżeli będą się czepiać, szybko im powie, gdzie mają się wynosić! Wie parę rzeczy, może nie? Gdyby tylko zechciała rozpuścić język! Pani Nicoletis wojowniczo potrząsnęła głową i gwałtownie zboczyła z kursu, żeby uniknąć zderzenia ze słupem, który agresywnie próbował zagrodzić jej drogę. Bez wątpienia, trochę kręciło jej się w głowie. Może gdyby na chwilę oparła się o ścianę...? Jeżeliby na sekundę zamknęła oczy...

Do posterunkowego Botta, majestatycznie obchodzącego swój rewir, przystąpił jakiś przestraszony drobny urzędnik:

– Tam jest kobieta, panie posterunkowy. Nie wiem, co... musiała chyba źle się poczuć. Leży jak kłoda.

Posterunkowy Bott skierował w tę stronę energiczne kroki, po czym pochylił się nad leżącą postacią. Silny zapach koniaku potwierdził jego podejrzenia.

– Straciła przytomność – oznajmił. – Pijana. Może być pan spokojny, my się tym zajmiemy.

II

Skończywszy niedzielne śniadanie, Herkules Poirot starannie otarł wąsy ze wszelkich śladów wypitej czekolady, a następnie przeszedł do salonu.

Na stole leżały zgrabnie ułożone cztery plecaki, każdy z rachunkiem, w myśl instrukcji, jakie otrzymał George. Poirot rozpakował plecak kupiony poprzedniego dnia i umieścił obok pozostałych. Wynik był interesujący. Plecak, który kupił u pana Hicksa, pod żadnym względem nie robił wrażenia gorszego od nabytych przez George'a w różnych innych magazynach. Natomiast był zdecydowanie tańszy.

– Interesujące – zauważył Herkules Poirot.

Przyjrzał się plecakom, a następnie zbadał je szczegółowo: w środku i z wierzchu, stawiając je do góry nogami, macając szwy, kieszenie, uchwyty. Po czym wstał, poszedł do łazienki i wrócił z małym ostrym nożykiem do pedicure. Wywróciwszy plecak od pana Hicksa na lewą stronę, zaatakował dno nożykiem. Pomiędzy płóciennym spodem a dnem znajdował się kawał ciężkiego usztywnienia, trochę przypominającego z wyglądu karbowany papier. Poirot przyjrzał się wypatroszonemu plecakowi z wielkim zainteresowaniem. Po czym zaatakował pozostałe.

Wreszcie siadł i przyglądał się dokonanemu właśnie dziełu zniszczenia. Następnie przyciągnął do siebie aparat telefoniczny i po krótkiej chwili udało mu się połączyć z inspektorem Sharpe'em.

– *Ecoutez, mon cher* – powiedział. – Chciałbym wiedzieć tylko dwie rzeczy. Coś w rodzaju parsknięcia rozległo się po drugiej stronie słuchawki: – „Wiem dwie rzeczy o koniu, w tym jedną raczej słowną” – wyrecytował inspektor.

– Co takiego? – zapytał zdumiony Herkules Poirot.

– Nic, nic. To taka rymowanka, którą kiedyś znałem. Więc jakie dwie rzeczy chciałby pan wiedzieć?

– Wczoraj pan wspomniał o pewnych wizytach policji na Hickory Road w ciągu ostatnich trzech miesięcy. Czy mógłby mi pan podać ich daty, jak również powiedzieć, w jakich porach dnia się odbyły?

– Tak, oczywiście, to powinno być łatwe. Musi być odnotowane w kartotece. Niech pan zaczeka, zaraz zobaczę.

Wkrótce inspektor powrócił do telefonu: – Pierwsza wizyta w związku z hinduskim studentem, rozpowszechniającym wywrotową propagandę: 18 grudnia ubiegłego roku, godzina 15^{30}.

– Zbyt dawno.

– Wizyta w sprawie Montagu Jonesa, Euroazjaty, poszukiwanego w związku z zamordowaniem Alice Combe z Cambridge: 24 lutego, godzina 17^{30}. Wizyta w sprawie Williama Robinsona, pochodzącego z Afryki Zachodniej, poszukiwanego przez policję w Sheffieid: 6 marca, godzina 11.

– Aha! Dziękuję panu.

– Jeżeli jednak pan myśli, że któreś z tych zdarzeń ma jakikolwiek związek z... Poirot przerwał mu:

– Nie, one nie mają związku. Mnie tylko interesuje pora dnia, w jakiej się odbyły.

– Co pan kombinuje, Poirot?

– Rozpruwam plecaki, mój przyjacielu. Bardzo interesujące zajęcie.

Łagodnie odłożył słuchawkę.

Wyjął z notesu poprawioną listę, którą pani Hubbard wręczyła mu poprzedniego dnia. Przedstawiała się następująco:

Plecak (Lena Batesona)
Żarówki
Bransoletka (Genevieve)
Pierścionek z brylantem (Patricii)
Puderniczka (Genevieve)
Wieczorowy pantofelek (Sally)
Szminka (Elizabeth Johnston)

Kolczyki (Valerie)
Stetoskop (Lena Batesona)
Sól do kąpieli (?)
Apaszka pocięta na kawałki (Valerie)
Spodnie (Colina)
Książka kucharska (?)
Kwas borny (Chandry Lala)
Broszka (Sally)
Atrament wylany na notatki Elizabeth

(Spisałam, jak potrafiłam. Nie jest to stuprocentowo dokładne – L. Hubbard).

Poirot przyglądał się liście dłuższą chwilę. Westchnął i mruknął do siebie: „Tak... zdecydowanie... Musimy wyeliminować rzeczy bez znaczenia..."

Przyszło mu do głowy, kto mógłby mu w tym pomóc. Była niedziela. Większość studentów będzie prawdopodobnie w domu.

Nakręcił numer Hickory Road 26 i poprosił do telefonu pannę Valerie Hobhouse. Stłumiony, dość gardłowy głos, wyraził powątpiewanie, czy panna Hobhouse już wstała, obiecał jednak sprawdzić. Po chwili Poirot usłyszał ochrypły alt:

– Valerie Hobhouse przy aparacie.

– Mówi Herkules Poirot. Czy pani mnie pamięta?

– Naturalnie, *monsieur*. Czym mogę panu służyć?

– Chciałbym, jeśli można, zamienić z panią parę słów.

– Proszę bardzo.

– Mogę więc wpaść na Hickory Road?

– Tak. Będę na pana czekała. Powiem Geronimowi, żeby pana przyprowadził do mojego pokoju. W niedzielę trudno tutaj o prywatność.

– Dziękuję, panno Hobhouse. Jestem bardzo zobowiązany.

Geronimo z rozmachem otworzył Poirotowi drzwi, a następnie pochyliwszy się szepnął z właściwą sobie miną konspiratora:

– Prowadzę pana do panny Valerie bardzo cicho. Pst, sza, sza.

Kładąc palec na ustach, ruszył pierwszy schodami w górę i zaprowadził Poirota do obszernego pokoju, którego okna wychodziły na Hickory Road. Pokój, stanowiący połączenie sypialni i saloniku, urządzony był ze smakiem, a nawet z pewną dozą luksusu. Tapczan przykryty był zniszczonym, ale pięknym perskim kilimem, a eleganckie orzechowe biurko z epoki królowej Anny raczej nie należało, zdaniem Poirota, do oryginalnego wyposażenia Hickory Road 26.

Valerie Hobhouse stała na środku pokoju, gotowa, by go powitać. Pomyślał, że wygląda na zmęczoną, oczy miała podkrążone.

– *Mais vous etes tres bien ici** – zawołał Poirot po przywitaniu. – To jest *chic*. Ma styl. Valerie uśmiechnęła się.

– Jestem tu już od dość dawna – odpowiedziała. – Dwa i pół roku. Prawie trzy lata. W jakimś sensie zapuściłam korzenie i mam trochę własnych rzeczy.

– Pani nie jest studentką, prawda, *mademoiselle*?

– Ach, nie. Czysta komercja. Pracuję.

– W firmie kosmetycznej, prawda?

– Tak. Jestem jednym z zaopatrzeniowców w „Pięknej Sabrinie". To salon piękności. Prawdę mówiąc, mam w przedsiębiorstwie pewien niewielki udział. Prowadzimy działalność w kilku jeszcze branżach poza kosmetyczną, Dodatki, różne drobiazgi, nowinki z Paryża. I to jest moja działka.

– Często zatem jeździ pani do Paryża i na kontynent?

– O tak, mniej więcej raz na miesiąc, czasami częściej.

– Musi mi pani wybaczyć – tłumaczył się Poirot – jeśli może okazuję nadmierną ciekawość...

– Dlaczego nie? – przerwała mu z miejsca. – W okolicznościach, w jakich znaleźliśmy się, musimy się pogodzić z ciekawością. Odpowiedziałam wczoraj na wiele pytań inspektorowi Sharpe'owi. Pan wolałby chyba krzesło ze sztywnym oparciem, *monsieur* Poirot, zamiast niskiego fotela.

– Okazuje pani przenikliwość, *mademoiselle* – Poirot zasiadł ostrożnie i pod odpowiednim kątem na krześle z wysokim oparciem i podpórkami na ręce.

Valerie usiadła na tapczanie. Poczęstowała Poirota papierosem, po czym sama zapaliła. Przyglądał jej się z uwagą. Odznaczała się nerwową, raczej znużoną elegancją, która przemawiała do niego bardziej niż czysto konwencjonalna uroda. „Inteligentna i atrakcyj-

---

* *fr.* Ależ bardzo tu u pani miło.

na kobieta", pomyślał. Zastanawiał się, czy jej nerwowość była rezultatem niedawnego przesłuchania, czy też stanowiła naturalną cechę sposobu bycia. Pamiętał, że mniej więcej to samo myślał o niej owego wieczoru, kiedy przyszedł na kolację.

– Inspektor Sharpe przepytywał panią?

– Nie da się ukryć.

– I powiedziała mu pani wszystko, co pani wie?

– Oczywiście.

– Zastanawiam się – powiedział – czy to prawda.

Popatrzyła na niego z ironią.

– Ponieważ nie słyszał pan odpowiedzi, jakich udzieliłam inspektorowi Sharpe'owi, nie jest pan najlepszym sędzią – odparła.

– Ach, nie. To tylko jeden z moich pomysłów. Miewam je, wie pani, takie różne pomysły. Biorą się stąd – klepnął się w głowę.

Można było zauważyć, że Poirot, jak mu się czasem zdarzało, celowo odgrywał szarlatana. Jednak Valerie nie uśmiechnęła się. Przyglądała mu się badawczo, a kiedy się odezwała, zabrzmiało to dość szorstko:

– Może przejdziemy do rzeczy, *monsieur* Poirot? Doprawdy nie wiem, do czego pan zmierza.

– Oczywiście, oczywiście, panno Hobhouse.

Wyjął z kieszeni mały pakiecik:

– Zgaduje pani zapewne, co tutaj mam?

– Nie jestem jasnowidzem, *monsieur* Poirot. Nie przenikam wzrokiem opakowania.

– Mam tutaj – oznajmił Poirot – pierścionek, który ukradziono pannie Patricii Lane.

– Zaręczynowy pierścionek Patricii? A raczej zaręczynowy pierścionek jej matki? Ale dlaczego pan go ma?

– Poprosiłem, żeby mi go pożyczyła na parę dni. Brwi Valerie ponownie uniosły się ze zdziwienia:

– Ach tak.

– Intrygował mnie ten pierścionek – wyjaśnił Poirot. – Intrygowało mnie jego zniknięcie, zwrot, a także coś jeszcze. Poprosiłem więc pannę Lane, żeby mi go pożyczyła. Zgodziła się bez oporów. Zaniosłem go prosto do zaprzyjaźnionego jubilera.

– I co dalej?

– Poprosiłem go, żeby wycenił znajdujący się w nim brylant. Spory kamień, jeśli pani pamięta, z grupką mniejszych klejnocików po obu stronach. Pamięta pani, *mademoiselle*?

– Chyba tak. Prawdę mówiąc, nie przypominam sobie dokładnie.

– Ale miała go pani w ręku, prawda? Był w pani talerzu z zupą.

– W ten sposób został zwrócony! Teraz pamiętam, omal go nie połknęłam – Valerie parsknęła śmiechem.

– Jak powiadam, zaniosłem go do mojego przyjaciela jubilera i poprosiłem o ocenę brylantu. Czy pani wie, jaka była jego odpowiedź?

– Skąd mam wiedzieć?

– Odpowiedział, że to nie brylant, tylko cyrkonia, biała cyrkonia.

– O! – otworzyła szeroko oczy. Następnie powiedziała tonem trochę niepewnym: – Chce pan powiedzieć, że Patricia sądziła, że to brylant, a to była tylko cyrkonia, albo że...

Poirot potrząsnął przecząco głową.

– Nie, nie to chcę powiedzieć. Jak rozumiem, był to zaręczynowy pierścionek matki Patricii Lane. Panna Patricia Lane pochodzi z dobrej rodziny i zaryzykowałbym twierdzenie, że rodziny zamożnej, w każdym razie przed niedawną reformą podatkową. W tych kręgach, *mademoiselle*, nie żałuje się pieniędzy na pierścionek zaręczynowy. Pierścionek zaręczynowy musi być pierścionkiem okazałym, najlepiej z brylantem albo innym szlachetnym kamieniem. Nie mam najmniejszych wątpliwości, że papa panny Lane nigdy nie podarowałby jej mamie pierścionka, który byłby niewiele wart.

– Co do tego – odparła Valerie – jestem z panem absolutnie zgodna. Ojciec Patricii był drobnym właścicielem ziemskim, o ile mi wiadomo.

– Zatem – kontynuował Poirot – wygląda, że kamień w pierścionku został później zastąpiony innym.

– Przypuszczam – Valerie mówiła wolno – że Pat musiała zgubić brylant, nie miała pieniędzy na drugi i kazała włożyć zamiast niego cyrkonię.

– Jest to możliwe – przyznał Herkules Poirot – ale nie wydaje mi się, żeby to właśnie się wydarzyło.

– No cóż, *monsieur* Poirot, jeśli bawimy się w zgadywanie, to co, pańskim zdaniem, się wydarzyło?

– Uważam – odpowiedział Poirot – że pierścionek zabrała *mademoiselle* Celia, po czym brylant został usunięty i zastąpiony cyrkonią, zanim pierścionek wrócił do właścicielki.

Valerie usiadła prosto:

– Uważa pan, że Celia umyślnie zabrała brylant?

Poirot potrząsnął głową.

– Nie – odparł. – Uważam, że pani go zabrała, *mademoiselle.*

Valerie Hobhouse gwałtownie wciągnęła powietrze:

– No, wie pan! – wykrzyknęła. – Tego już za wiele! Nie ma pan cienia dowodu.

– Ależ tak – przerwał jej Poirot. – Mam dowód. Pierścionek odnalazł się w talerzu z zupą. Otóż, byłem tutaj któregoś wieczoru na kolacji. Spostrzegłem, w jaki sposób podaje się zupę. Nalewa się ją z wazy stojącej na bocznym stoliku. Zatem, jeżeli ktoś miałby znaleźć pierścionek w swoim talerzu z zupą, musiałaby go tam umieścić albo osoba nalewająca zupę (w tym wypadku Geronimo), albo osoba, do której należał talerz. Pani! Nie sądzę, żeby to był Geronimo. Sądzę, że pani zaaranżowała zwrot pierścionka w talerzu, bo to panią bawiło. Pani posiada, jeżeli wolno mi pozwolić sobie na krytykę, zbyt humorystyczne podejście do efektu dramatycznego. Unieść pierścionek! Wydać okrzyk zdumienia! Myślę, że ulegając swojemu poczuciu humoru, nie zdawała sobie pani sprawy, że się pani zdradza.

– To wszystko? – spytała Valerie pogardliwie.

– O nie, bynajmniej nie wszystko. Widzi pani, kiedy owego wieczoru Celia przyznała się do popełnienia tych kradzieży, zauważyłem parę drobnych rzeczy. Na przykład, mówiąc o pierścionku, powiedziała: „Kiedy zdałam sobie sprawę, że jest wartościowy, zwróciłam go". W jaki sposób zdała sobie sprawę, panno Valerie? Kto jej powiedział, ile pierścionek jest wart? A następnie, mówiąc o pociętej apaszce panna Celia powiedziała coś w tym rodzaju: „To nie miało znaczenia. Valerie się nie przejęła..." Dlaczego niby pani się nie przejęła, kiedy należąca do pani apaszka z przyzwoitego jedwabiu została pocięta na kawałki? Doszedłem od razu wtedy do przekonania, że cała ta kampania przywłaszczania sobie różnych przedmiotów, udawania kleptomanki, by tym sposobem zwrócić na siebie uwagę Colina McNabba, została obmyślona dla Celii przez kogoś innego. Kogoś daleko bardziej inteligentnego niż Celia i z dobrą praktyczną znajomością psychologii. To pani jej powiedziała, że pierścionek jest wartościowy, pani wzięła go od niej i zorganizowała jego zwrot. Podobnie, za pani namową ona poszarpała pani apaszkę na strzępy.

– Wszystko to tylko teoria – powiedziała Valerie – w dodatku dość naciągana. Inspektor też sugerował, że to ja nakłoniłam Celię do tych kawałów.

– I co mu pani powiedziała?

– Powiedziałam, że to nonsens – odparła Valerie.

– A mnie co pani powie?

Valerie przypatrywała mu się uważnie przez chwilę. Następnie parsknęła śmiechem, zgasiła papierosa, usiadła głębiej na tapczanie, podsuwając sobie poduszkę pod plecy i powiedziała:

– Ma pan zupełną rację. To ja ją nakłoniłam.

– Mogę zapytać, dlaczego?

Valerie zawołała niecierpliwie:

– Tylko i wyłącznie z głupio altruistycznych pobudek. Szlachetna pomoc. Oto Celia, snująca się jak duch i wzdychająca do Colina, który nawet na nią nie spojrzy. Wydawało mi się to takie bezsensowne. Colin należy do tych zarozumiałych młodych ludzi, przekonanych, że zawsze mają rację, wierzących jedynie w psychologię, kompleksy i tak dalej. Pomyślałam sobie, że byłoby dość zabawnie go podpuścić i zrobić z niego idiotę. W każdym razie nie mogłam znieść nieszczęśliwej miny Celii, więc wzięłam ją na bok, zrobiłam wykład, wyjaśniłam plan w zarysach i namówiłam do działania. Trochę, jak mi się wydaje, była tym wszystkim przestraszona, ale jednocześnie dość ją to podniecało. No i oczywiście pierwsza rzecz, jaką robi ta mała kretynka, to znajduje pierścionek Pat pozostawiony w łazience i zabiera go. Kosztowny pierścionek, o który będzie masę hałasu, zostanie wezwana policja i cała sprawa może przybrać poważny obrót. Więc zabrałam jej ten pierścionek, powiedziałam, że jakoś postaram się go zwrócić i namówiłam, żeby w przyszłości trzymała się sztucznej biżuterii i kosmetyków oraz żeby zniszczyła jakąś rzecz należącą do mnie, co nie ściągnie na nią kłopotów.

Poirot westchnął głęboko.

– Dokładnie tak jak przypuszczałem – powiedział.

– Teraz żałuję, że to zrobiłam – mruknęła posępnie Valerie. – Ale naprawdę chciałam dobrze. Wiem, że to brzmi okropnie, jakby żywcem wyjęte z ust Jean Tomlinson, ale to prawda.

– A teraz – oświadczył Poirot – dochodzimy do sprawy pierścionka Patricii. Celia dała go pani. Pani miała niby gdzieś go znaleźć i zwrócić Patricii. Jednak zanim go pani zwróciła, coś się wydarzyło?

Obserwował, jak jej palce nerwowo splatają i rozplatają frędzle szala, który miała na szyi.

– Była pani w tarapatach finansowych, co? O to chodziło?

Nie patrząc na niego, kiwnęła szybko głową.

– Powiedziałam, że wyznam – w głosie jej brzmiała gorycz. – Mój kłopot polega na tym, *monsieur* Poirot, że jestem hazardzistką. To jedna z tych rzeczy, z jakimi człowiek się rodzi i niewiele da się na to poradzić. Należę do małego klubu w dzielnicy Mayfair – nie, nie powiem panu dokładnie gdzie – nie chcę mieć na sumieniu ściągnięcia im na kark policji czy czegoś podobnego. Niech panu wystarczy fakt, że do niego należę. Jest tam ruletka, bakarat i cała reszta. Trafiła mi się czarna seria przegranych, raz za razem. Miałam ten pierścionek Pat. Na wystawie sklepu, koło którego akurat przechodziłam, leżał pierścionek z cyrkonią. Pomyślałam sobie: „Jeżeli wymienię brylant na białą cyrkonię, Pat nigdy w życiu tego nie zauważy". Nikt nie przygląda się pierścionkowi, który dobrze zna. Jeśli brylant wydaje się bardziej matowy, człowiek myśli, że trzeba go dać do oczyszczenia albo coś w tym sensie. No więc dobrze, uległam pokusie. Wydłubałam brylant i sprzedałam. Kazałam włożyć cyrkonię i tego samego wieczoru udałam, że znalazłam pierścionek w zupie. Była to wyjątkowa głupota, zgadzam się. Kropka. Teraz pan wie wszystko. Ale słowo daję, w żadnym wypadku nie chciałam, żeby posądzono o to Celię.

– Oczywiście, oczywiście, rozumiem – Poirot kiwał głową. – Po prostu nadarzyła się pani okazja. Skorzystała pani z niej, wydawało się to takie łatwe. Ale popełniła pani wielki błąd, *mademoiselle*.

– Zdaję sobie sprawę – sucho odpowiedziała Valerie, po czym wybuchnęła z żalem: – Ale do diabła z tym! Jakie to ma teraz znaczenie. Niech mnie pan wyda, jeśli pan chce. Niech pan powie Pat.

Niech pan powie inspektorowi. Niech pan powie całemu światu. Ale jaki z tego pożytek? W jaki sposób ma to nam pomóc w odkryciu, kto zabił Celię?

Poirot wstał.

– Nigdy nie wiadomo – powiedział – co może pomóc, a co nie. Trzeba oczyścić pole z tak wielu rzeczy, które nie mają znaczenia i zaciemniają problem. Ważne było dla mnie, żeby się dowiedzieć, kto natchnął małą Celię do odegrania jej roli. Teraz już wiem. Co do pierścionka, radzę, żeby pani sama poszła do panny Patricii Lane, powiedziała jej wszystko i wyraziła stosowny żal.

Valerie zrobiła grymas:

– Przypuszczam, że to w sumie całkiem niezła rada – uznała. – Trudno, pójdę do Patricii i poproszę o przebaczenie. Patricia to bardzo przyzwoita facetka. Powiem jej, że kiedy będę miała pieniądze, wstawię brylant. Czy tego pan chce, *monsieur* Poirot?

– Nie w tym rzecz, że ja tego chcę, tylko że to jest słuszne.

Nagle otworzyły się drzwi i weszła pani Hubbard. Oddychała ciężko, a twarz jej miała taki wyraz, że Valerie wykrzyknęła:

– O co chodzi, mamciu? Co się stało?

Pani Hubbard opadła na krzesło:

– Pani Nicoletis.

– Pani Nick? Co z nią?

– O Boże drogi, nie żyje.

– Nie żyje? – głos Valerie zabrzmiał chropawo. – Jak, kiedy?

– Wygląda na to, że zabrano ją z ulicy do komisariatu wczoraj wieczorem. Myśleli, że była... że była...

– Pijana? Przypuszczam...

– Istotnie, piła wcześniej alkohol. Ale tak czy inaczej, umarła...

– Biedna, stara pani Nick – powiedziała Valerie. Jej matowy głos drżał.

Poirot odezwał się łagodnie:

– Pani ją lubiła, *mademoiselle*?

– Może to dziwne, potrafiła być prawdziwą starą jędzą, ale owszem, lubiłam ją... Kiedy wprowadziłam się tu trzy lata temu, nie była ani w połowie tak... nieznośna, jak później. Była dobrym kompanem... wesoła, serdeczna... Bardzo się zmieniła w ciągu ostatniego roku...

Valerie popatrzyła na panią Hubbard:

– Dlatego, jak przypuszczam, że zaczęła po cichu popijać. Znaleźli u niej w pokoju sporo butelek, prawda?

– Tak – pani Hubbard zawahała się, po czym wybuchnęła: – Czuję się winna, że pozwoliłam jej wracać samej do domu wczoraj wieczorem. Wiecie, ona czegoś się bała.

– Bała się?

Poirot i Valerie powiedzieli to jednocześnie.

Strapiona pani Hubbard skinęła potakująco głową. Na jej łagodnej, okrągłej twarzy malował się niepokój.

– Tak. Ciągle mówiła, że nie czuje się bezpieczna. Prosiłam, żeby mi powiedziała, czego się boi, ale kazała mi się nie wtrącać. Poza tym z nią nigdy nie było wiadomo, czy nie przesadza. Ale teraz, zastanawiam się…

Valerie wtrąciła:

– Nie myśli pani chyba, że ona… że ona też… że ona została…

Urwała gwałtownie z wyrazem przerażenia w oczach.

Poirot zapytał:

– Jaką przyczynę śmierci podali?

Pani Hubbard powiedziała z nieszczęśliwą miną:

– Nie podali. Rozprawa we wtorek…

Rozdział XV

W cichym pokoju w nowej siedzibie Scotland Yardu zasiadło wokół stołu czterech mężczyzn.

Przewodniczył zebraniu nadinspektor Wilding z wydziału narkotyków. Obok niego siedział sierżant Bell, młody człowiek pełen energii i optymizmu, przypominający wyglądem rwącego się do pościgu wyżła. Inspektor Sharpe rozparł się w krześle milczący i czujny. Czwartym mężczyzną był Herkules Poirot. Na stole leżał plecak.

Nadinspektor Wilding w zamyśleniu gładził się po brodzie.

– Jest to interesujący pomysł, *monsieur* Poirot – przyznał ostrożnie. – Tak, interesujący pomysł.

– To jest, jak powiadam, tylko pomysł – odparł Poirot.

Wilding skinął słowa:

– Przedstawiliśmy sytuację w ogólnym zarysie. Szmugiel odbywa się oczywiście cały czas. Zwiniemy jedną grupę przemytników, a po pewnym czasie wszystko zaczyna się od nowa gdzie indziej. W naszym wydziale wiemy, że towar od jakiegoś półtora roku przedostaje się do Wielkiej Brytanii w dużych ilościach. Przeważnie heroina, także spora ilość kokainy. Składy rozmieszczone są w różnych miejscach tutaj i na kontynencie. Francuska policja zaczyna się domyślać, w jaki sposób przedostaje się to do Francji, natomiast nie bardzo jeszcze wiedzą, jak się stamtąd wydostaje.

– Czy będę miał rację, jeśli powiem – zapytał Poirot – że wasz problem można z grubsza podzielić na trzy zagadnienia? Po pierwsze istnieje problem dystrybucji, po drugie problem, jak przesyłki dostają się do kraju, po trzecie, kto naprawdę kieruje tym interesem i zgarnia lwią część zysku.

– Z grubsza biorąc, powiedziałbym, że to jest słuszne. Wiemy sporo o małych dystrybutorach i o tym, jak towar jest rozprowadzany. Niektórych pośredników zatrzymujemy, innych na razie pozostawiamy w spokoju, w nadziei, że doprowadzą nas do grubych ryb. Towar jest rozprowadzany w najrozmaitszy sposób, w nocnych klubach, pubach, drogeriach, przez jednego czy drugiego lekarza, w eleganckich domach mody, w modnych zakładach fryzjerskich. Rozdaje się go na wyścigach, w sklepach z antykami, czasem w zatłoczonych magazynach wielobranżowych. Ale tego wszystkiego nie potrzebuję panu mówić. To nie ta strona jest ważna. W tym jesteśmy nieźle zorientowani. Mamy też pewne trafne domysły co do tych, których nazywam grubymi rybami. Kilku cieszących się powszechnym szacunkiem bogatych dżentelmenów, co do których nie zrodził się nigdy nawet cień podejrzenia. Są bardzo ostrożni, sami nigdy nie dotkną towaru, a drobne płotki nawet nie wiedzą, kto nimi kieruje. Ale od czasu do czasu któryś popełnia błąd i wtedy go mamy.

– Wszystko to wygląda mniej więcej tak, jak się spodziewałem. Interesuje mnie trzecie zagadnienie, mianowicie jak przesyłki docierają do kraju.

– Cóż. Jesteśmy wyspą. Najczęstszy sposób to tradycyjna droga morska. Motorówka, która prześliznęła się niezauważona przez kanał La Manche, zawija dyskretnie gdzieś u wschodnich wybrzeży albo do małej zatoczki dalej na południe. Do czasu zdaje to egzamin, ale prędzej czy później dostajemy o właścicielu motorówki poufną informację, a z chwilą, kiedy zaczynamy mieć faceta na oku, kończą się jego możliwości. Ostatnio kilka razy dostarczono towar samolotem. Oferuje się duże pieniądze i od czasu do czasu któryś ze stewardów czy ktoś inny z załogi okazuje się tylko człowiekiem. Są także importerzy handlowi. Szacowne firmy importujące fortepiany i co pan tylko chce. Przez jakiś czas nieźle im to idzie, ale zazwyczaj w końcu wpadają.

– Czy zgodziłby się pan, że jedną z zasadniczych trudności, jeśli chodzi o nielegalny handel, jest wwóz z zagranicy do Wielkiej Brytanii?

– Zdecydowanie. Powiem więcej. Od jakiegoś czasu jesteśmy zaniepokojeni. Napływa więcej towaru, niż jesteśmy to w stanie kontrolować.

– A co z takimi rzeczami, jak na przykład klejnoty?

Głos zabrał sierżant Bell:

– Duży ruch w interesie, proszę pana. Diamenty i inne kamienie przywożone są nielegalnie z Afryki Południowej i Australii, niektóre z Dalekiego Wschodu. Napływają do kraju nieprzerwanym strumieniem, a my nie wiemy, jak. Parę dni temu młoda kobieta, zwykła turystka, podróżująca po Francji, została poproszona przez przygodnego znajomego o przewiezienie pary butów przez Kanał. Nie były nowe, nie podlegały ocleniu, po prostu buty, które ktoś zostawił. Zgodziła się, niczego nie podejrzewając. Traf chciał, że dostaliśmy cynk. Jak się okazało, obcasy były wydrążone i wypełnione nieoszlifowanymi diamentami.

Nadinspektor Wilding wtrącił:

– Ale, *monsieur* Poirot, co pana w końcu interesuje, narkotyki czy szmuglowane klejnoty?

– Jedno i drugie. Prawdę mówiąc wszystko, co ma dużą wartość i niewielką objętość. Wydaje mi się, że istnieje możliwość regularnego przewozu, jak moglibyśmy to nazwać, właśnie takich towarów w tę i z powrotem przez Kanał. Wywozi się z Anglii skradzioną biżuterię, kamienie wyjęte z oprawy, a wwozi nielegalnie inne klejnoty i narkotyki. Może być to mała, niezależna agencja, niezajmująca się dystrybucją i przewożąca towar na zlecenie. A zyski mogą być wysokie.

– Gotów jestem przyznać panu rację! Można heroinę wartości dziesięciu czy dwudziestu tysięcy funtów pomieścić na bardzo małej przestrzeni, podobnie jak nie oszlifowane kamienie wysokiej klasy.

– Widzi pan – ciągnął Poirot – słabe ogniwo w przemycie to zawsze element ludzki. Prędzej czy później zaczynacie podejrzewać konkretną osobę: stewarda w samolocie, entuzjastę żeglarstwa posiadającego mały jacht, kobietę, która zbyt często jeździ do Francji, importera robiącego większe pieniądze, niż to wydaje się możliwe, człowieka, który żyje na wysokiej stopie bez widocznych środków utrzymania. Jeśli jednak towar wwożony jest do kraju przez osobę nieświadomą, a w dodatku za każdym razem inną, wtedy o wiele trudniej jest przechwycić ładunek.

Wilding wskazał palcem plecak: – I to jest pańska sugestia?

– Tak. Kto jest dzisiaj osobą najmniej narażoną na podejrzenia? Student. Poważny, pilnie uczący się student. Ledwo wiąże koniec z końcem, podróżuje z taką tylko ilością bagażu, jaką zdoła unieść na grzbiecie. Przejeżdża Europę autostopem. Jeśli cały czas miałby przewozić towar jeden jedyny tylko student czy studentka, niewątpliwie byście się zorientowali, ale na tym polega istota całego tego przedsięwzięcia, że kurierzy są nieświadomi i jest ich wielu.

Wilding potarł szczękę.

– Jak pańskim zdaniem wygląda dokładnie organizacja, *monsieur* Poirot?

Detektyw wzruszył ramionami:

– Na razie mogę tylko zgadywać. Bez wątpienia mylę się co do wielu szczegółów, ale powiedziałbym, że z grubsza funkcjonuje to następująco: po pierwsze, rzuca się na rynek serię plecaków. Jest to zwykły, tradycyjny model, ot plecak jak każdy inny, mocny, solidnie wykonany, odpowiedni do swego przeznaczenia. Kiedy mówię „plecak jak każdy inny”, nie jest to całkowicie ścisłe. Wyściółka na dnie różni się co nieco. Jak panowie widzą, łatwo ją usunąć, a jej grubość i faktura pozwalają ukryć w karbach rulony zawierające klejnoty lub proszek. Nikomu by to nie przyszło na myśl, chyba żeby specjalnie szukał. Czysta heroina czy czysta kokaina zajmują bardzo niewiele miejsca.

– Oj, to prawda – przyznał Wilding – i dlatego – szybko odmierzył palcami – można tu przywieźć za każdym razem towar wartości pięciu czy sześciu tysięcy funtów, a nikt się nawet nie zorientuje.

– *Alors*, właśnie – kontynuował Herkules Poirot. – Plecaki zostały wykonane, puszczone na rynek, znajdują się w sprzedaży, i to zapewne więcej niż w jednym sklepie. Właściciel sklepu może należeć do spisku, ale nie musi. Mógł po prostu kupić tanią serię, co się mu opłaca, ponieważ jego ceny będą niższe niż u innych sprzedawców sprzętu campingowego. Oczywiście w tle mamy do czynienia z wyraźną organizacją; ze starannie prowadzonymi listami studentów szkół medycznych, uniwersytetu londyńskiego i innych uczelni. Ktoś, kto sam jest studentem, albo udaje studenta, stoi na czele gangu. Studenci jadą za granicę. W którymś momencie w drodze powrotnej plecak zostaje podmieniony. Student wraca do Anglii, kontrola celna jest pobieżna. Student przybywa do pensjonatu, rozpakowuje się i wrzuca pusty plecak do szafy czy w kąt pokoju. Wtedy następuje ponowna zamiana plecaków albo też fałszywe dno zostaje zgrabnie wyjęte i zastąpione innym.

– I uważa pan, że to właśnie zdarzyło się na Hickory Road?

Poirot skinął głową:

– Mam takie podejrzenie. Tak.

– Ale jak pan na to wpadł, *monsieur* Poirot, jeśli założyć, że ma pan rację?

– Plecak został pocięty na kawałki – odpowiedział Poirot. – Dlaczego? Ponieważ powód nie jest oczywisty, trzeba go sobie wyobrazić. Jest coś podejrzanego w plecakach kupowanych przez studentów z Hickory Road. Są za tanie. Łańcuch dziwnych wydarzeń miał miejsce na Hickory Road, ale dziewczyna odpowiedzialna za nie przysięgała, że zniszczenie plecaka to nie jej robota. Ponieważ przyznała się do innych spraw, dlaczego miałaby zaprzeczać w tym wypadku? Czy nie należy raczej uznać, że mówiła prawdę? Musi więc być inny powód zniszczenia plecaka, a chciałbym dodać, że zniszczyć plecak nie jest rzeczą łatwą. Była to ciężka praca i ktoś musiał być nieźle zdeterminowany, żeby się jej podjąć. Zaczęło mi coś świtać, kiedy udało mi się z grubsza ustalić (niestety tylko z grubsza, jako że na pamięci ludzkiej po upływie kilku miesięcy nie można polegać bez zastrzeżeń), z grubsza więc, że plecak został zniszczony mniej więcej w tym samym czasie, kiedy do pensjonatu przyszedł policjant porozmawiać z kierowniczką. Rzeczywistym powodem wizyty policjanta była zgoła inna sprawa, ale przedstawię panom mój tok rozumowania: jestem kimś zamieszanym w aferę przemytniczą. Wracam tego wieczora do domu, dowiaduję się, że przyszła policja i w tej chwili jest na górze u pani Hubbard. Natychmiast zakładam, że policja wie coś o przemycie, że przyszli przeprowadzić dochodzenie, a przyjmijmy równocześnie, że w tym momencie w domu znajduje się plecak świeżo przywieziony z zagranicy, który zawiera albo niedawno zawierał kontrabandę. Teraz, jeśli policja ma na ten temat jakieś informacje, może przyjść na Hickory Road tylko w celu obejrzenia studenckich plecaków. Nie ośmielam się wyjść z domu z rzeczonym plecakiem, ponieważ mogę podejrzewać, że policja zostawiła kogoś na zewnątrz, kto ma obserwować dom w tym właśnie celu, a plecak niełatwo ukryć czy wynieść niepostrzeżenie. Jedyna rzecz, która przychodzi mi do głowy, to pociąć plecak, a kawałki poutykać między rupiecie w kotłowni. Jeśli narkotyki czy klejnoty znajdują się w domu, można je tymczasem ukryć w soli do kąpieli. Ale nawet pusty plecak, jeśli wcześniej były w nim narkotyki, może zawierać ślady heroiny czy kokainy, co wykaże uważne zbadanie albo analiza. Plecak trzeba więc bezwzględnie zniszczyć. Zgadzają się panowie, że to możliwe?

– Jest to pomysł, jak już powiedziałem – odparł nadinspektor Wilding.

– Niewykluczone też, że ze sprawą plecaka może się wiązać drobny incydent, dotychczas nieuważany za istotny. Według Geronima, służącego-Włocha, tego dnia, czy któregoś z tych dni, kiedy przyszła policja, zgasło światło w holu i w salonie. Geronimo poszedł poszukać żarówki, okazało się jednak, że zapasowe żarówki zniknęły. Był absolutnie pewien, że kilka dni wcześniej znajdowały się w szufladzie. Otóż istnieje, moim zdaniem, możliwość – jest to tylko hipoteza i bynajmniej nie mam pewności, rozumiecie, dopuszczam jedynie taką możliwość – że ktoś, kto miał nieczyste sumienie, był już wcześniej zamieszany w aferę przemytniczą i bał się, że policja może rozpoznać jego twarz, jeśli zobaczy ją w pełnym świetle. Po cichu więc usunął żarówkę z holu i zabrał zapasowe, żeby nie można było wkręcić nowej. W rezultacie w holu paliła się tylko świeczka. Jak powiadam, to tylko przypuszczenie.

– Pomysłowe – zauważył Wilding.

– Jest to możliwe, proszę pana – zgodził się skwapliwie sierżant Beli. – Im dłużej o tym myślę, tym bardziej wydaje mi się to możliwe.

– Ale jeśli tak – ciągnął dalej Wilding – sprawa dotyczy nie tylko Hickory Road. Poirot skinął głową potakująco:

– Oczywiście. Organizacja musiała obejmować cały szereg studenckich klubów i domów.

– Trzeba znaleźć łączące je ogniwo – powiedział Wilding.

Inspektor Sharpe zabrał głos po raz pierwszy.

– Jest takie ogniwo, panie nadinspektorze – poinformował – albo było. Kobieta, która prowadziła kilka studenckich klubów i pensjonatów. Kobieta, która znajdowała się na miejscu, na Hickory Road. Pani Nicoletis.

Wilding rzucił szybkie spojrzenie w kierunku Poirota.

– Tak – potwierdził Poirot. – Pani Nicoletis pasuje tu jak ulał. Miała finansowy udział w tych wszystkich instytucjach, chociaż sama nimi nie kierowała. Jej metoda polegała na tym, żeby znaleźć osobę uczciwą, o nieposzlakowanej przeszłości i powierzyć jej zarządzanie. Taką osobą jest moja znajoma, pani Hubbard. Fundusze na przemyt dostarczała pani Nicoletis, choć tu znowu podejrzewam, że była tylko marionetką.

– Cóż – mruknął Wilding. – Byłoby interesujące dowiedzieć się czegoś więcej o pani Nicoletis.

Sharpe przytaknął.

– Prowadzimy dochodzenie w jej sprawie. Badamy jej przeszłość i pochodzenie. Trzeba to robić ostrożnie. Nie chcemy spłoszyć ptaszków przed czasem. Zajmujemy się także jej zapleczem finansowym. Niezależnie od wszystkiego była to prawdziwa jędza.

Opowiedział swoje przejścia z panią Nicoletis, kiedy pokazał jej nakaz rewizji.

– Butelki po koniaku? – podchwycił Wilding. – Więc piła? To powinno ułatwić sprawę. Co się z nią stało? Uciekła?

– Nie, panie nadinspektorze. Nie żyje.

– Nie żyje? – Wilding uniósł brwi. – Ktoś jej pomógł, czy tak?

– Tak przypuszczamy. Będziemy wiedzieli na pewno po sekcji zwłok. Osobiście uważam, że zaczęła się łamać. Może nie brała w rachubę morderstwa.

– Mówi pan o zamordowaniu Celii Austin. Czy ta dziewczyna coś wiedziała?

– Coś wiedziała – wtrącił Poirot – ale jeśli mogę to tak ująć, nie sądzę, żeby wiedziała, co wie!

– Chodzi panu o to, że wiedziała coś, ale nie umiała docenić, jakie to ma znaczenie?

– Tak, dokładnie o to mi chodzi. Nie była bystra. Bardzo prawdopodobne, że nie umiałaby wyciągnąć żadnych wniosków. Ale jeśli coś zobaczyła czy usłyszała, mogła komuś o tym wspomnieć, niczego nie podejrzewając.

– Nie przychodzi panu do głowy, co mogła zobaczyć albo usłyszeć, *monsieur* Poirot?

– Próbuję zgadnąć. Nic więcej nie mogę zrobić. Była jakaś wzmianka o paszporcie. Czy ktoś w tym domu miał fałszywy paszport, dzięki czemu mógł podróżować na kontynent pod innym nazwiskiem? Czy ujawnienie owego faktu naraziłoby tę osobę na poważne niebezpieczeństwo? Czy Celia widziała, że ktoś majstruje przy plecaku, a może któregoś dnia zobaczyła, jak ktoś usuwa z plecaka fałszywe dno, nie zdając sobie sprawy, co ta osoba robi? Może widziała kogoś wykręcającego żarówki? I powiedziała to temu komuś, nieświadoma, że to ma jakiekolwiek znaczenie? Ach, *mon Dieu* – wykrzyknął Herkules Poirot z irytacją. – Domysły! Domysły! Trzeba więcej wiedzieć! Zawsze trzeba więcej wiedzieć.

– No cóż – odezwał się Sharpe – zacznijmy od przeszłości pani Nicoletis. Coś może się wyłonić.

– Sprzątnięto ją, ponieważ przypuszczano, że może zacząć mówić? Czy byłaby coś powiedziała?

– Od pewnego czasu popijała w sekrecie... a to znaczy, że miała nerwy w strzępach – mówił Sharpe. – Mogła się załamać i wyśpiewać wszystko. Wydać współwinnych.

– Przypuszczam, że to nie ona kierowała gangiem?

Poirot potrząsnął głową.

– Nie wydaje mi się to prawdopodobne, nie. Ona działała jawnie, widzi pan. Wiedziała oczywiście, co się dzieje, ale nie sądzę, żeby była tym kierującym mózgiem. Nie.

– Ma pan jakieś podejrzenia, kto mógł nim być?

– Mam pewne podejrzenie, ale mogę się mylić. Tak, mogę się mylić.

Rozdział XVI

– Hickory, dickory, dock – powiedział Nigel. – Entliczek, pentliczek, czerwony stoliczek, na kogo wypadnie, na tego bęc. Policja powiedziała „bęc", zastanawiam się więc, na kogo teraz wypadnie.

Po czym dodał:

– Powiedzieć czy nie powiedzieć? Oto jest pytanie.

Nalał sobie filiżankę kawy i przyniósł ją do stołu, przy którym koledzy siedzieli przy śniadaniu.

– Powiedzieć co? – zapytał Len Bateson.

– Wszystko, co się wie – odparł Nigel, niedbale machnąwszy ręką.

Jean Tomlinson odezwała się z dezaprobatą:

– Ależ oczywiście! Jeśli mamy jakieś informacje, które mogą okazać się pożyteczne, oczywiście, że musimy powiedzieć policji. To rozumie się samo przez się.

– Przemówiła nasza urocza Jean – skwitował to Nigel.

– *Moi, je n'aime pas les flics** – włączył się do dyskusji René.

– Powiedzieć co? – powtórnie spytał Leonard Bateson.

– To, co się wie – odparł Nigel. – To znaczy jeden o drugim – dodał w formie wyjaśnienia. Ze złośliwym wyrazem twarzy przesunął spojrzenie po wszystkich zgromadzonych wokół stołu. – W końcu wszyscy wiemy sporo o sobie nawzajem, no nie? Trudno nie wiedzieć, jak się mieszka pod jednym dachem.

– Ale kto ma decydować, co jest ważne, a co nie? Jest wiele rzeczy, które bynajmniej nie są sprawą policji – wtrącił się Ahmed Ali. Był zdenerwowany, wciąż nie mogąc zapomnieć inspektorowi szorstkich słów na temat kolekcji pocztówek.

– Jak słyszę – zwrócił się Nigel do Akibombo – znaleźli bardzo ciekawe rzeczy w twoim pokoju.

Ze względu na kolor swojej skóry Akibombo nie był w stanie zarumienić się, zamrugał tylko powiekami z zażenowaniem.

---

* *fr.* Co do mnie, nie przepadam za glinami.

– W moim kraju dużo przesądów – odparł. – Mój dziadek dał mi rzeczy, żebym je przywiózł tutaj. Trzymam je z pietyzmu i pobożności. Ja sam jestem nowoczesny i naukowy, i nie wierzę w voodoo, ale nie władając doskonale językiem, bardzo trudno mi to tłumaczyć policjantowi.

– Nie wątpię, że nawet droga mała Jean ma swoje sekrety – Nigel znowu zwrócił spojrzenie na Jean Tomlinson.

Jean odpowiedziała popędliwie, że nie pozwoli się obrażać.

– Wyprowadzę się stąd i pójdę do YMCA – oświadczyła.

– Ależ Jean – zaprotestował Nigel. – Daj nam jeszcze jedną szansę.

– Och, przestań, Nigel! – odezwała się znudzonym tonem Valerie. – Nie ma rady, policja w tych okolicznościach musi węszyć.

Colin McNabb odchrząknął, zanim zabrał głos:

– Moim zdaniem obecna sytuacja wymaga wyjaśnienia. Jaka dokładnie była przyczyna śmierci pani Nick?

– Usłyszymy to u koronera – niecierpliwie odpowiedziała mu Valerie.

– Osobiście w to wątpię – oświadczył Colin. – Moim zdaniem, oni przesuną dochodzenie.

– Przypuszczam, że to było serce, czyż nie? – zapytała Patricia. – Upadła na ulicy.

– Pijana i nieprzytomna – zauważył Len Bateson. – W takim stanie wzięli ją do komisariatu.

– Więc piła! – wtrąciła się Jean. – Wiecie, zawsze to podejrzewałam. Podobno, kiedy policja przeszukiwała dom, znaleźli w jej pokoju szafy pełne pustych butelek po koniaku.

– Możecie polegać na Jean, że zawsze pierwsza dowie się o każdym świństwie – z uznaniem zauważył Nigel.

– No, to wyjaśnia, dlaczego czasami tak dziwnie się zachowywała – dorzuciła Patricia. Colin ponownie odchrząknął:

– Ach, tak, hm. Przypadkiem zdarzyło mi się zaobserwować, kiedy wracałem w sobotę wieczór do domu, jak wchodziła do pubu „Naszyjnik Królowej".

– Myślę, że tam się ubzdryngoliła – zauważył Nigel.

– Więc umarła z przepicia, tak? – spytała Jean.

– Len Bateson potrząsnął głową:

– Wylew krwi do mózgu? Raczej wątpię.

– Na miłość boską, nie myślisz chyba, że ją też zamordowali? – jęknęła Jean.

– Założę się, że tak – mruknęła Sally Finch. – Nic nie zdziwiłoby mnie mniej.

– Jeśli można – wtrącił Akibombo. – Czy sądzi się, że ktoś ją zabił? Czy to prawda?

Przenosił wzrok z jednej twarzy na drugą.

– Nie mamy jeszcze żadnego powodu, żeby coś podobnego przypuszczać – odpowiedział mu Colin.

– Ale kto by chciał ją zabić? – włączyła się Genevieve. – Czy zostawiła dużo pieniędzy? Jeśli była bogata, uważam, że to jest możliwe.

– Była nieznośną babą, moja droga – odparł Nigel. – Jestem pewien, że każdy miał ochotę ją zamordować. Ja dość często – dodał i z całym spokojem nałożył sobie marmolady.

II

– Jeśli można, panno Sally, czy mogę zadać pani pytanie? W związku z tym, co mówiono przy śniadaniu. Bardzo dużo myślałem.

– Na twoim miejscu nie myślałabym za dużo, Akibombo – odparła Sally. – To niezdrowo.

Sally i Akibombo jedli obiad na otwartym powietrzu w Regent's Park. Oficjalnie uznano, że lato nadeszło i restauracja była otwarta.

– Całe rano – zwierzał się żałośnie Akibombo – byłem bardzo zaniepokojony. Wcale nie odpowiadałem dobrze na pytania profesora. On ze mnie niezadowolony. On mi mówi, że ja powtarzam długie ustępy z książek i nie myślę sam. Ale ja jestem tutaj, żeby zdobyć wiedzę z dużo książek i wydaje mi się, że oni lepiej mówią w książkach, niż ja to wyrażam, ponieważ władam niedoskonale angielskim. A poza tym dzisiaj rano bardzo mi trudno myśleć o wszystkim z wyjątkiem tego, co jest na Hickory Road i o kłopotach tam.

– Powiedziałabym, że co do tego masz słuszność – zauważyła Sally. – Mnie samej trudno się było dziś rano skoncentrować.

– Dlatego proszę, żeby mi pani powiedziała pewne rzeczy, bo jak mówię, bardzo dużo myślałem.

– No więc, o czym mianowicie myślałeś?
– No o tym bo-ro-wym...
– Borowym? Ach, o kwasie bornym? Tak. Więc co?
– No, nie bardzo dobrze rozumiem. To jest kwas, prawda? Taki kwas, jak siarkowy?
– Nie taki jak siarkowy, nie – wyjaśniła Sally.
– To nie jest coś tylko do doświadczeń w laboratorium?
– Nie wydaje mi się, żeby kiedykolwiek przeprowadzano z tym doświadczenia w laboratorium. Jest to coś łagodnego i nieszkodliwego.
– To znaczy, można to nawet używać do oczu?
– Owszem. Właśnie do tego jest używany.
– Ach, więc teraz rozumiem. Pan Chandra Lal ma małą białą buteleczkę z białym proszkiem, wkłada proszek do gorącej wody i przemywa tym oczy. Trzyma go w łazience i jednego dnia tam go nie ma i on jest bardzo zły. To będzie kwas borny, tak?
– O co ci chodzi z tym kwasem bornym?
– Powiem później. Jeśli można, nie teraz. Jeszcze pomyślę.
– Tylko nie nadstawiaj karku – ostrzegła Sally. – Nie chcę, żeby twoje zwłoki były następne, Akibombo.

III

– Valerie, czy sądzisz, że mogłabyś mi udzielić rady?
– Oczywiście, mogę udzielić ci rady, Jean, chociaż doprawdy nie wiem, po co ludzie w ogóle proszą o rady. I tak nigdy ich nie słuchają.
– Chciałam się poradzić w sprawach sumienia – oznajmiła Jean.
– W takim razie jestem ostatnią osobą, którą powinnaś prosić o radę. Moje sumienie nie jest specjalnie czułe.
– Och, Valerie, nie mów takich rzeczy.
– Cóż, to prawda – powiedziała Valerie, gasząc papierosa. – Szmugluję stroje z Paryża obrzydliwym babskom, które przychodzą do naszego salonu piękności, opowiadam potworne kłamstwa na temat ich urody, nawet jeżdżę autobusami bez biletu, jeśli jestem spłukana. No, ale mów. O co chodzi?
– Wiąże się to z tym, o czym Nigel mówił przy śniadaniu. Jeśli ktoś coś wie o kimś innym, czy sądzisz, że powinien powiedzieć to policji?

– Co za idiotyczne pytanie! Nie można takiej rzeczy rozpatrywać w kategoriach ogólnych. Co mianowicie chcesz, czy czego nie chcesz powiedzieć?

– Chodzi o paszport.

– O paszport – Valerie, zdumiona, usiadła prosto. – Czyj paszport?

– Nigela. On ma fałszywy paszport.

– Nigel? – w głosie Valerie brzmiało niedowierzanie. – Nie wierzę. Wydaje się to nieprawdopodobne.

– A jednak tak. I wiesz, Valerie, w tym coś jest, jakaś sprawa... policja chyba mówiła, że Celia coś powiedziała o jakimś paszporcie. A jeśli ona wpadła na to i on ją zabił?

– Brzmi to bardzo melodramatycznie – zauważyła Valerie. – Ale jeśli mam być szczera, nie wierzę w ani jedno słowo. Co to za historia z paszportem?

– Widziałam go.

– Jakim cudem?

– No wiesz, to był absolutny przypadek – usprawiedliwiała się Jean. – Szukałam czegoś w mojej teczce jakiś tydzień czy dwa temu i widocznie przez pomyłkę zajrzałam do aktówki Nigela. Obie leżały na półce w salonie.

Valerie zaśmiała się raczej nieprzyjemnie:

– Mów to głupiemu! Co naprawdę robiłaś? Myszkowałaś?

– Nie, naturalnie, że nie! – w głosie Jean brzmiało szlachetne oburzenie. – Co jak co, ale nigdy nie zaglądam do cudzych prywatnych papierów. Nie jest to moim zwyczajem. Po prostu byłam jakaś roztargniona, otworzyłam aktówkę i bezmyślnie przerzucałam zawartość.

– Słuchaj no, Jean, nie wykręcaj się, dobrze? Teczka Nigela jest o wiele większa od twojej i ma zupełnie inny kolor. Kiedy już się do czegoś przyznajesz, możesz równie dobrze przyznać się do końca. W porządku. Znalazłaś okazję, żeby poszperać w rzeczach Nigela i wykorzystałaś ją.

Jean podniosła się:

– Cóż, Valerie, jeśli masz zamiar być tak nieuprzejma, niesprawiedliwa i nieprzyjemna, nie pozostaje mi nic innego...

– Och, wracaj, dziecko – zawołała Valerie. – Powiedz wreszcie, o co chodzi. Zaczyna mnie to interesować. Chcę wiedzieć.

– No więc, zobaczyłam ten paszport – relacjonowała Jean. – Leżał na dnie i był na nazwisko Stanford czy Stanley, czy coś w tym rodzaju. Pomyślałam sobie: „Dziwne, że Nigel trzyma tu cudzy paszport". Otworzyłam, a w środku była fotografia Nigela! Nie sądzisz więc, że on musi prowadzić podwójne życie? Zastanawiam się po prostu, czy mam powiedzieć policji? Nie uważasz, że to mój obowiązek?

Valerie wybuchnęła śmiechem.

– Prawdziwy pech, Jean – powiedziała. – Prawdę mówiąc wyjaśnienie jest bardzo proste. Powiedziała mi to Pat. Nigel odziedziczył jakieś pieniądze czy coś takiego, pod warunkiem, że zmieni nazwisko. Przeprowadził to najzupełniej legalnie, aktem prawnym, czy jak tam to się nazywa, w każdym razie oto cała tajemnica. O ile pamiętam, jego oryginalne nazwisko brzmiało Stanfield, Stanley, czy jakoś tak.

– Och! – Jean sprawiała wrażenie głęboko zawiedzionej.

– Zapytaj Pat, jeśli mi nie wierzysz – dodała Valerie.

– Och, nie, cóż, jeśli jest tak, jak mówisz, widocznie się pomyliłam.

– Życzę więcej szczęścia następnym razem – odparła Valerie.

– Nie wiem, co masz na myśli, Valerie.

– Chciałabyś się dobrać do Nigela, może nie? I narobić mu kłopotów z policją?

– Możesz mi nie wierzyć, Valerie – oświadczyła Jean z godnością – ale chciałam jedynie spełnić swój obowiązek.

Opuściła pokój.

– Do diabła! – wykrzyknęła Valerie.

Rozległo się pukanie do drzwi i weszła Sally:

– Co się stało, Valerie? Wyglądasz na zgnębioną.

– To ta obmierzła Jean. Jest doprawdy okropna. Nie sądzisz, żeby był chociaż cień szansy, że to Jean zakatrupiła biedną Celię? Sprawiłoby mi dziką satysfakcję ujrzenie Jean na ławie oskarżonych.

– Podzielam twoje uczucia – odparła Sally – ale nie wydaje mi się to szczególnie prawdopodobne. Uważam, że Jean jest zbyt ostrożna, żeby kogoś zamordować.

– Co myślisz o pani Nick?

– Po prostu nie wiem, co myśleć. Chyba się wkrótce dowiemy.

– Stawiam dziesięć do jednego, że ją też zakatrupili – oświadczyła Valerie.

– Ale dlaczego? Co się tu dzieje? – spytała Sally.

– Chciałabym to wiedzieć, Sally. Czy łapiesz się kiedyś na tym, że się przyglądasz ludziom?

– Jak to, Val, czy się przyglądam ludziom?

– Przyglądasz się i zastanawiasz: „Czy to ty?". Mam uczucie Sally, że jest tu ktoś obłąkany. Naprawdę obłąkany, niebezpiecznie obłąkany, to znaczy nie taki, któremu się wydaje, że jest na przykład ogórkiem.

– To niewykluczone – przyznała Sally. Zadrżała. – Uuch! Ciarki mnie przeszły.

IV

– Nigel, muszę ci coś powiedzieć.

– Mianowicie, Pat? – Nigel grzebał gorączkowo w swojej komodzie. – Co ja, u diabła, zrobiłem z tymi notatkami, wprost pojąć nie mogę. Przecież je tu wrzuciłem.

– Och, Nigel, nie przewracaj tak wszystkiego! Zostawiasz zawsze taki potworny bałagan, dopiero co to uporządkowałam.

– Muszę, do cholery, znaleźć moje notatki, nie?

– Nigel, musisz mnie wysłuchać!

– Okay, Pat, nie rób takiej zrozpaczonej miny. O co chodzi?

– Muszę się do czegoś przyznać.

– Mam nadzieję, że nie do morderstwa – rzucił Nigel ze zwykłą u niego nonszalancją.

– Skądże!

– To dobrze. No więc, co to za drobny grzeszek?

– To było któregoś dnia, kiedy zacerowałam ci skarpetki, przyniosłam je do twojego pokoju i wkładałam do szuflady...

– No i?

– Zobaczyłam w szufladzie buteleczkę z morfiną. Tę, o której mi mówiłeś, że ją przyniosłeś ze szpitala.

– Istotnie, a ty podniosłaś straszny krzyk.

– Ależ, Nigel, ona była u ciebie w szufladzie, między twoimi skarpetkami, gdzie każdy mógł ją znaleźć.

– Dlaczego miałby ją ktoś znaleźć? Nikt nie grzebie w moich skarpetkach, poza tobą.

– Wydało mi się to okropne tak ją tam zostawić. Powiedziałeś, że się jej pozbędziesz, kiedy wygrasz zakład, ale leżała tam jakby nigdy nic.

– Jasne, nie miałem jeszcze trzeciej trucizny.

– Mnie się to w każdym razie bardzo nie podobało, więc wyjęłam buteleczkę z szuflady, wysypałam truciznę, a wsypałam zwykłą sodę. Wyglądała prawie identycznie.

Nigel zaprzestał poszukiwania notatek.

– Boże miłosierny! – wykrzyknął. – Naprawdę to zrobiłaś? To znaczy, kiedy ja przysięgałem Lenowi i poczciwemu Colinowi, że proszek w środku to siarczan morfiny, czy inna postać morfiny, czy co tam u licha miało to być, cały czas była to tylko zwykła soda?

– Tak. Widzisz…

Nigel przerwał jej.

– Wiesz, nie jestem pewien – powiedział marszcząc czoło – czy to nie unieważnia zakładu. Oczywiście, ja nie miałem pojęcia…

– Ależ, Nigel, to było naprawdę niebezpiecznie tam ją trzymać.

– Boże, Pat, czy musisz zawsze robić tyle szumu? Co zrobiłaś z samą trucizną?

– Włożyłam ją do buteleczki po sodzie oczyszczonej i ukryłam u siebie w szufladzie z chusteczkami.

Nigel popatrzył na nią z lekkim zdziwieniem.

– Naprawdę, Pat, twój proces myślowy jest nie do pojęcia. Po co to zrobiłaś?

– Myślałam, że tak będzie bezpieczniej.

– Dziewczyno droga, morfina powinna być pod kluczem, a jeżeli nie jest, to naprawdę nie ma znaczenia, czy znajduje się między moimi skarpetkami czy twoimi chustkami.

– Ma znaczenie. Po pierwsze, ja mieszkam w pokoju sama, a ty nie.

– I co, myślisz, że biedny stary Len byłby mi zwędził morfinę, czy jak?

– Miałam zamiar nigdy ci o tym nie mówić, ale teraz muszę. Bo widzisz, buteleczka zniknęła.

– Uważasz, że policja ją gwizdnęła?

– Nie. Zniknęła wcześniej.

– Mówisz, że... – Nigel patrzył na nią z konsternacją. – Uporządkujmy fakty. Buteleczka z napisem „Soda oczyszczona", zawierająca morfinę, gdzieś się zawieruszyła i w każdej chwili ktoś, kogo boli brzuch, może się poczęstować kopiatą łyżeczką? Dobry Boże, Pat! To dopiero narozrabiałaś! Dlaczego, u diabła, nie wyrzuciłaś proszku, jeżeli cię tak denerwował?

– Bo myślałam, że jest cenny i trzeba go zwrócić do szpitala, a nie po prostu wyrzucić. Zaraz po wygraniu przez ciebie zakładu miałam zamiar dać go Celii i poprosić, żeby zaniosła do szpitala.

– Jesteś pewna, że go jej nie dałaś?

– Oczywiście, że nie dałam. Chcesz powiedzieć, że dałam, ona go zażyła i że to było samobójstwo, i ja jestem wszystkiemu winna?

– Uspokój się. Kiedy ta buteleczka zniknęła?

– Dokładnie nie wiem. Szukałam w dniu śmierci Celii. Nie mogłam znaleźć, ale myślałam, że może gdzieś ją przełożyłam.

– Zniknęła w dniu śmierci Celii?

– Myślę – odpowiedziała Patricia z pobielałą twarzą – że byłam bardzo głupia.

– Łagodnie mówiąc – sarknął Nigel. – Do czego może się posunąć zamroczony umysł i nadwrażliwe sumienie!

– Nigel, czy uważasz, że powinnam powiedzieć to policji?

– Cholera jasna! – wykrzyknął Nigel. – Niestety, chyba tak. I okaże się, że to wszystko moja wina.

– Ach nie, Nigel, kochanie, to ja. Ja...

– Od tego się zaczęło, że ja zwędziłem ten cholerny proszek – mówił Nigel. – Wtedy wydawało mi się, że to bardzo zabawny kawał. Ale teraz słyszę już jadowite uwagi w sądzie.

– Tak mi przykro. Kiedy go wzięłam, naprawdę chciałam...

– Naprawdę chciałaś jak najlepiej. Ja wiem, wiem. Słuchaj Pat, nie mogę wprost uwierzyć, że buteleczka zniknęła. Czasami zdarza ci się coś gdzieś przełożyć.

– Tak, ale...

Zawahała się, a na jej zmartwionej twarzy pojawił się cień wątpliwości.

Nigel podniósł się żywo.

– Chodźmy do twojego pokoju i poszukajmy porządnie.

V

– Nigel, przecież to moja bielizna!

– Doprawdy, Pat, nie czas teraz na pruderię. Właśnie na samym dnie, pod majtkami, schowałabyś buteleczkę, nie?

– Tak, ale jestem pewna, że...

– Nie możemy być niczego pewni, jeżeli nie przeszukamy wszystkiego. I to właśnie zamierzam zrobić.

Rozległo się krótkie pukanie do drzwi i weszła Sally Finch. Oczy rozszerzyły jej się ze zdziwienia. Pat, ściskając w garści skarpetki Nigela, siedziała na łóżku, Nigel przy komodzie ze wszystkimi szufladami wyciągniętymi kopał jak podniecony terier w stosie swetrów, podczas gdy wokół niego kłębiły się majtki, staniki, pończochy tudzież inne części damskiej garderoby.

– Do jasnej Anielki – wykrzyknęła Sally – co tu się dzieje?

– Szukamy sody – wyjaśnił Nigel krótko.

– Sody? Po co?

– Odczuwam ból – Nigel uśmiechnął się bezczelnie. – Ból w brzusiu i tylko soda może go uśmierzyć.

– Wydaje mi się, że mam gdzieś trochę.

– Nic z tego Sally, musi to być soda Pat. Tylko ten gatunek jest w stanie przynieść ulgę w mojej szczególnej dolegliwości.

– Zwariowałeś – oświadczyła Sally. – Co on wyprawia, Pat?

Patricia potrząsnęła głową z nieszczęśliwą miną:

– Nie widziałaś przypadkiem mojej sody oczyszczonej, co, Sally? Było jej trochę na samym dnie buteleczki.

– Nie – Sally przyjrzała jej się z ciekawością. Zmarszczyła brwi. – Poczekaj. Ktoś tu... zresztą nie, nie pamiętam... Masz znaczek, Pat? Chcę nadać list, a skończyły mi się.

– Tam w szufladzie.

Sally otworzyła płytką szufladę, wyjęła bloczek znaczków, oderwała jeden, nalepiła na list, który trzymała w ręce, wrzuciła bloczek z powrotem do szuflady i położyła dwa i pół pensa na biurku:

– Dzięki. Nadać od razu i twój list przy okazji?

– Owszem. Albo nie. Później sama to zrobię.

Sally kiwnęła głową i wyszła z pokoju.

Pat wypuściła skarpetki, które trzymała, i nerwowo splotła palce.

– Nigel?

– Tak? – Nigel otworzył tymczasem szafę i przeszukiwał kieszenie płaszcza.

– Muszę ci jeszcze coś wyznać.

– Na miłość boską, Pat, co jeszcze zrobiłaś?

– Boję się, że będziesz zły.

– Nie jestem już w stanie być zły. Jestem po prostu przerażony. Jeśli Celia została otruta proszkiem, który ja zwędziłem, prawdopodobnie pójdę do więzienia na długie lata, nawet jeśli mnie nie powieszą.

– To nie ma z tym nic wspólnego. Chodzi o twojego ojca.

– Co? – Nigel obrócił się o sto osiemdziesiąt stopni. Na jego twarzy malował się wyraz niewypowiedzianego zaskoczenia.

– Wiesz chyba, że jest bardzo chory.

– Nie obchodzi mnie, jak bardzo jest chory.

– Mówili wczoraj wieczorem w radio: „Sir Arthur Stanley, słynny chemik, znajduje się w bardzo ciężkim stanie".

– Jak to miło być ważną osobistością. Cały świat zostaje powiadomiony o twojej chorobie.

– Nigel, jeżeli on jest umierający, powinieneś się z nim pogodzić.

– Ani mi się śni!

– Ale przecież on jest umierający.

– Jest dokładnie taką samą świnią umierając, jaką był w kwitnącym zdrowiu.

– Nie wolno tak, Nigel. Nie powinieneś być taki gorzki i zawzięty.

– Słuchaj, Pat, powiedziałem ci kiedyś: on zabił moją matkę.

– Pamiętam, że mi to mówiłeś i wiem, że ją uwielbiałeś. Ale wydaje mi się, że czasami przesadzasz. Wielu jest niedobrych i brutalnych mężów, i ich żony cierpią, i są bardzo nieszczęśliwe. Ale powiedzieć, że ojciec zabił twoją matkę, jest niesprawiedliwością i nie jest to dosłownie prawdą.

– Jesteś tak znakomicie poinformowana, co?

– Wiem, że pewnego dnia będziesz żałował, że nie pojednałeś się z ojcem, zanim umarł. Dlatego... – Pat urwała, po czym zdobyła się na odwagę: – Dlatego ja... ja napisałam do twojego ojca, że...

– Napisałaś do niego? To ten list, który Sally chciała wrzucić? – szybkim krokiem podszedł do biurka. – Rozumiem.

Wziął list, już zaadresowany i z naklejonym znaczkiem. Drżącymi nerwowo palcami podarł go na kawałki i wrzucił do kosza.

– Masz! I żebyś się nigdy więcej nie ośmieliła zrobić czegoś podobnego.

– Naprawdę, Nigel, zachowujesz się jak dziecko. Możesz ten list podrzeć, ale nie możesz mi zabronić napisać następnego, a zrobię to.

– Jesteś niewybaczalnie sentymentalna. Czy nigdy ci nie przyszło do głowy, że jeżeli powiedziałem, że mój ojciec zabił moją matkę, to po prostu stwierdziłem nagi, nieupiększony fakt? Moja matka umarła na skutek przedawkowania medinalu. Zażyła go przez pomyłkę, tak uznali w trakcie dochodzenia. Ale ona nie wzięła go przez pomyłkę. Został jej podany celowo przez mojego ojca. Chciał, widzisz, poślubić inną kobietę, a matka nie dawała mu rozwodu. Zwyczajna, plugawa historia kryminalna. Co byś zrobiła na moim miejscu? Doniosła na policję? Matka by tego nie chciała... Zrobiłem więc jedyną rzecz, jaką mogłem zrobić, powiedziałem tej świni, że wiem, i zniknąłem... na zawsze. Zmieniłem nawet nazwisko.

– Nigel, przepraszam... nigdy mi nie przyszło na myśl...

– No, teraz wiesz... Szanowany i sławny Arthur Stanley ze swoimi badaniami naukowymi i swoimi antybiotykami. Robiący zawrotną karierę! Ale jego donna w końcu nie wyszła za niego. Zmyła się. Myślę, że domyśliła się, co zrobił...

– Nigel, kochanie, jakie to straszne... tak mi przykro...

– W porządku. Nie będziemy o tym więcej mówić. Wracamy do tej przeklętej sody. Spróbuj sobie dokładnie przypomnieć, coś zrobiła z tym proszkiem. Oprzyj głowę na rękach i myśl, Pat.

VI

Genevieve wkroczyła do salonu w stanie wielkiego podniecenia i ogłosiła wibrującym głosem zgromadzonym tam studentom:

– Teraz już wiem na pewno, ale absolutnie na pewno, kto zabił małą Celię.

– Kto to zrobił, Genevieve? – spytał René. – Co się wydarzyło, że jesteś taka pewna?

Genevieve obejrzała się ostrożnie, chcąc się upewnić, że drzwi od salonu są zamknięte. Zniżyła głos:

– To Nigel Chapman.

– Nigel Chapman, on, dlaczego?

– Słuchajcie. Idę teraz korytarzem, żeby zejść na dół i słyszę głos Nigela w pokoju Patricii.

– Nigel? W pokoju Patricii? – odezwała się Jean z dezaprobatą. Ale Genevieve jechała dalej.

– I mówi jej, że to jego ojciec zabił jego matkę i że, *pour ça*, on zmienił nazwisko. Więc to jest jasne, nie? Jego ojciec był skazany za morderstwo, a Nigel ma dziedziczne obciążenie.

– To jest możliwe – odezwał się Chandra Lal, z satysfakcją rozpatrując ową wiadomość. – Na pewno jest to możliwe. On jest taki gwałtowny, Nigel, taki niezrównoważony. Żadnej samodyscypliny. Zgadzasz się? – zwrócił się łaskawie do Akibombo, który z zapałem kiwał czarną wełnistą głową i pokazywał białe zęby w zadowolonym uśmiechu.

– Zawsze odnosiłam wrażenie – oświadczyła Jean – że Nigel pozbawiony jest zupełnie instynktu moralnego... Do gruntu zepsuty charakter.

– To morderstwo seksualne, tak – wtrącił Ahmed Ali. – Śpi z tą dziewczyną, potem ją zabija. Ponieważ to miła dziewczyna, przyzwoita, oczekuje małżeństwa...

– Bzdury! – wybuchnął Leonard Bateson.

– Co powiedziałeś?

– Bzdury! – ryknął Len.

Rozdział XVII

I

Nigel siedział w pokoju inspektora Sharpe'a w komisariacie i patrzył bojaźliwie w jego surowe oczy. Z lekka się jąkając, właśnie dobrnął do końca swojej relacji.

– Zdaje pan sobie sprawę, panie Chapman, że to, co mi pan powiedział, ma bardzo poważne znaczenie. Bardzo poważne.

– Oczywiście, że zdaję sobie sprawę. Nie przyszedłbym tutaj, żeby to panu powiedzieć, gdybym nie uważał, że rzecz jest pilna.

– Więc mówi pan, że panna Lane nie potrafi sobie dokładnie przypomnieć, kiedy po raz ostatni widziała tę buteleczkę po sodzie, zawierającą morfinę?

– Teraz ma już mętlik w głowie. Im usilniej stara się myśleć, tym mniej jest pewna. Powiedziała, że ja zbijam ją z tropu. Spróbuje spokojnie sobie przypomnieć w czasie, kiedy ja jestem tu u pana.

– Lepiej chodźmy od razu na Hickory Road.

W tym momencie zadzwonił telefon stojący na stole i dyżurny policjant, który protokołował zeznania Nigela, podniósł słuchawkę.

– To panna Lane – powiedział ze słuchawką przy uchu – chce mówić z panem Chapmanem.

Nigel przechylił się przez stół i wziął słuchawkę z rąk policjanta.

– Pat? Tu Nigel.

Głos dziewczyny był zdyszany, przejęty, słowa goniły jedno drugie:

– Nigel. Chyba już wiem. Chyba wiem, kto zabrał, no wiesz, zabrał to z mojej szuflady... Widzisz, jest tylko jedna osoba, która...

Nastąpiła cisza.

– Pat. Hallo? Jesteś tam? Kto to był?

– Teraz nie mogę ci powiedzieć. Później. Będziesz niedługo?

Słuchawka znajdowała się dostatecznie blisko, by dyżurny policjant i inspektor wyraźnie słyszeli rozmowę i ten ostatni kiwnął głową w odpowiedzi na pytające spojrzenie Nigela:

– Niech pan powie „zaraz".

– Będziemy zaraz – przekazał Nigel. – Już wyruszamy.

– To dobrze. Będę u siebie w pokoju.

Podczas krótkiej jazdy na Hickory Road prawie nie zamieniono słowa. Sharpe zastanawiał się, czy wreszcie zbliża się rozwiązanie. Czy Patricia ma jakieś konkretne dowody, czy też jest to z jej strony tylko przypuszczenie. Najwyraźniej przypomniała sobie coś, co wydawało jej się ważne. Przypuszczał, że telefonowała z holu i wobec tego musiała mówić ostrożnie. O tej porze wieczorem przez hol przechodziło tyle osób!

Na Hickory Road 26 Nigel otworzył frontowe drzwi swoim kluczem. Weszli do środka. Przez otwarte drzwi salonu Sharpe dostrzegł rozczochraną rudą głowę Leonarda Batesona pochyloną nad książką.

Nigel poprowadził schodami na górę i korytarzem do pokoju Pat. Zapukał krótko i wszedł.

– Cześć Pat. Jesteśmy...

Jego głos przeszedł w długi, rwący się oddech. Nigel stał jak wryty. Ponad jego ramieniem Sharpe zobaczył, co było tego przyczyną.

Patricia Lane leżała bezwładnie na podłodze.

Inspektor łagodnie odsunął Nigela. Podszedł bliżej i przyklęknął obok skulonego ciała dziewczyny. Podniósł jej głowę, dotknął pulsu, a następnie pozwolił, by głowa delikatnie opadła z powrotem. Wstał z twarzą ponurą i zaciętą.

– Nie? – zawołał Nigel nienaturalnym, piskliwym głosem. – Nie! Nie! Nie!!!

– Tak, panie Chapman, nie żyje.

– Nie, nie! Nie Pat! Kochana głupia Pat! W jaki...

– Tym.

Było to proste, zaimprowizowane *ad hoc* narzędzie, zbrodni. Marmurowy przycisk do papierów wpuszczony w wełnianą skarpetkę.

– Uderzona w tył głowy. Bardzo skuteczne narzędzie. Jeśli jest to dla pana jakąś pociechą, panie Chapman, nie sądzę, żeby nawet wiedziała, co się dzieje.

Nigel, roztrzęsiony, siadł na łóżku:

– To jedna z moich skarpetek... Chciała ją zacerować... O Boże, chciała ją zacerować.

Nagle się rozpłakał. Płakał jak dziecko, spazmatycznie i bez skrępowania.

Sharpe próbował rekonstruować wydarzenia:

– Był to ktoś, kogo dobrze znała. Ktoś, kto podniósł skarpetkę i wsunął w nią przycisk. Czy pan rozpoznaje ten przycisk, panie Chapman?

Zsunął skarpetkę, żeby go odsłonić.

Nigel spojrzał, nie przestając płakać.

– Zawsze stał u Pat na biurku. Lew z Lucerny.

Ukrył twarz w dłoniach.

– Pat, och. Pat! Co ja bez ciebie pocznę!

Nagle usiadł prosto, odgarniając z czoła zmierzwione jasne włosy.

– Zabiję tego, kto to zrobił! Zabiję go! Świnia! Morderca!

– Spokojnie, panie Chapman. Tak, tak, wiem, jak pan się czuje. Paskudna sytuacja...

– Pat nigdy nikogo nie skrzywdziła...

Przemawiając kojąco, inspektor Sharpe wyprowadził go z pokoju, po czym sam wrócił. Pochylił się nad martwą dziewczyną. Bardzo delikatnie wydobył coś spomiędzy jej palców.

II

Geronimo, z czołem zroszonym potem, przenosił przestraszone ciemne oczy z jednej twarzy na drugą.

– Nic nie widzę. Nic nie słyszę, mówię wam. Nie wiem nic w ogóle. Jestem z Marią w kuchni. Nastawiam minestrone, trę ser...

Sharpe przerwał ten katalog czynności:

– Nikt was nie oskarża. Chcemy tylko ustalić dokładnie czas. Kto w ciągu ostatniej godziny wchodził do domu, a kto wychodził?

– Nie wiem. Skąd mam wiedzieć?

– Ale możecie wyraźnie zobaczyć z okna w kuchni, kto wchodzi i wychodzi, nie?

– Tak, chyba tak.

– No to nam powiedzcie.

– O tej porze cały czas wchodzą i wychodzą.

– Kto był w domu od godziny szóstej do szóstej trzydzieści pięć, kiedy przyszliśmy?

– Wszyscy z wyjątkiem pana Nigela i pani Hubbard, i panny Hobhouse.

– Kiedy oni wyszli?

– Pani Hubbard wychodzi przed piątą, jeszcze nie wracała.

– Dalej.

– Pan Nigel wychodzi pół godziny temu, tuż przed szóstą, wygląda bardzo zmartwiony. Wraca z panami teraz.

– To się zgadza.

– Panna Valerie wychodzi punkt szósta. Sygnał czasu pip-pip-pip. Ubrana na przyjęcie, bardzo elegancko. Jeszcze nie ma.

– A wszyscy inni są?

– Tak, proszę pana. Wszyscy w domu.

Sharpe spojrzał na swój notatnik. Zanotowany był tam czas telefonu Patricii. Dokładnie osiem minut po szóstej.

– Wszyscy inni byli tutaj, w domu? Nikt nie wrócił w ciągu tego czasu?

– Tylko panna Sally. Poszła do skrzynki z listem i wróciła...

– Czy wiecie, o której wróciła? Geronimo zmarszczył czoło.

– Wróciła, kiedy były wiadomości w radiu.

– Zatem po szóstej?

– Tak, proszę pana.

– Jaka to była część dziennika?

– Nie pamiętam, proszę pana. Ale przed sportem. Bo kiedy jest sport, już gasimy.

Sharpe uśmiechnął się posępnie. Pole było szerokie. Można było wykluczyć tylko Nigela Chapmana, Valerie Hobhouse i panią Hubbard. Oznaczało to długie i wyczerpujące przesłuchania. Kto był wtedy w salonie, kto z niego wyszedł? I kiedy? Kto zapewni komu alibi? Jeżeli jeszcze dodać, że wielu studentów, tych z Azji i Afryki, z natury ma słabe wyczucie czasu, zadanie stawało się nie do pozazdroszczenia.

Trzeba je było jednak wykonać.

III

W pokoju pani Hubbard panował posępny nastrój. Sama pani Hubbard, wciąż jeszcze w wierzchnim okryciu, siedziała na sofie, a na jej okrągłej twarzy malowały się zmęczenie i troska. Sharpe i sierżant Cobb siedzieli przy małym stoliku.

– Myślę, że telefonowała stąd – mówił Sharpe. – Około szóstej zero osiem kilka osób wchodziło i wychodziło z salonu, tak przynajmniej twierdzą, i nikt nie widział, nie zauważył ani nie słyszał, żeby telefon w holu był zajęty. Oczywiście trudno polegać na ich ocenie czasu, połowa tych ludzi zdaje się nigdy nie patrzy na zegarek. Myślę jednak, że ona tak czy tak przyszłaby tutaj, jeżeli chciała zadzwonić do komisariatu. Pani wyszła, ale chyba nie zamknęła pani drzwi na klucz?

Pani Hubbard potrząsnęła głową.

– Pani Nicoletis zawsze zamykała, ale ja nigdy.

– Zatem Patricia Lane przychodzi tu zatelefonować, zelektryzowana tym, co sobie właśnie przypomniała. Następnie, kiedy rozmawia, drzwi się otwierają i ktoś zagląda czy wchodzi. Patricia kończy rozmowę i odkłada słuchawkę. Czy dlatego, że rozpoznała osobę, której nazwisko miała właśnie podać? Czy też była to ostrożność na wszelki wypadek? Mogło to być zarówno jedno, jak drugie. Ja skłaniam się do pierwszego przypuszczenia.

Pani Hubbard przytaknęła energicznie.

– Ktokolwiek przyszedł za nią aż tutaj, prawdopodobnie podsłuchiwał pod drzwiami. Następnie wszedł, by przerwać rozmowę.

– A wtedy...

Twarz Sharpe'a pociemniała:

– Ten ktoś zapewne wrócił z Patricią do jej pokoju, rozmawiając normalnie i jakby nigdy nic. Może Patricia oskarżyła ją o zabranie sody i może tamta przedstawiła jakieś sensowne wyjaśnienie.

Pani Hubbard zareagowała ostro:

– Dlaczego mówi pan „ją" i „tamta"?

– Dziwna rzecz: zaimek. Kiedy znaleźliśmy ciało, Nigel Chapman powiedział: „Zabiję tego, kto to zrobił. Zabiję go". „Go", niech pani zauważy. Nigel Chapman najwyraźniej uważał, że morderstwo popełnił mężczyzna. Może dlatego, że czyn gwałtowny kojarzył raczej z mężczyzną. A może miał jakieś konkretne podejrzenia, które by wskazywały na mężczyznę, na określonego mężczyznę? Jeśli tak, musimy dowiedzieć się, jakie ma powody, żeby tak myśleć. Ale osobiście stawiałbym na kobietę.

– Dlaczego?

– Choćby to, że ten ktoś przyszedł z Patricią do jej pokoju. Ktoś, z kim czuła się zupełnie swobodnie. Wskazywałoby to na dziewczynę. Mężczyźni nie chodzą na piętra, gdzie są sypialnie dziewcząt, chyba że istnieje jakiś szczególny powód. Nie mylę się, prawda, pani Hubbard?

– Tak. Nie jest to jakaś żelazna zasada, ale raczej przestrzegana.

– Druga strona domu odcięta jest od tej, z wyjątkiem parteru. Jeśli przyjmiemy, że wcześniejsza rozmowa między Nigelem i Pat została podsłuchana, możemy z dużym prawdopodobieństwem uznać, że podsłuchiwała kobieta.

– Tak, rozumiem, o co panu chodzi. Zresztą niektóre z dziewcząt muszą spędzać pół życia, podsłuchując pod drzwiami.

Zarumieniła się i dodała przepraszająco:

– To może trochę za ostre. Prawdę mówiąc, choć te domy są solidnie zbudowane, poprzedzielano je ściankami działowymi, a cała ta nowa robota jest marna, licha jak papier. Trudno nie słyszeć, co dzieje się za przepierzeniem. Jean, muszę to przyznać, sporo podsłuchuje. Należy do tego rodzaju osób. Jasne też, że kiedy Genevieve usłyszała Nigela mówiącego Pat, że ojciec zamordował jego matkę, to stanęła i cała zamieniła się w słuch.

Inspektor skinął potakująco głową. Słyszał już zeznania Sally Finch, Jean Tomlinson i Genevieve. Powiedział:

– Kto zajmuje pokoje po obydwu stronach pokoju Patricii?

– Za pokojem Patricii znajduje się pokój Genevieve, ale tam jest solidna, oryginalna ściana. Po drugiej stronie, bliżej schodów, ma pokój Elizabeth Johnston. Tam jest tylko przepierzenie, ta ścianka działowa.

– Pozwala to na wstępną selekcję – zauważył inspektor. – Francuzka słyszała koniec rozmowy, Sally Finch była u Patricii wcześniej, zanim wyszła wrzucić list. Ale fakt, że obie te dziewczyny tam były, automatycznie wyklucza możliwość podsłuchiwania przez kogokolwiek innego, chyba że przez bardzo krótki czas. Wyjątek stanowi Elizabeth Johnston, która mogła wszystko usłyszeć przez cienką ściankę, jeśli by była u siebie w pokoju, ale która, co wydaje się raczej ustalone, znajdowała się już w salonie, kiedy Sally Finch wyszła wrzucić list do skrzynki.

– Elizabeth pozostawała w salonie cały czas?

– Nie, poszła w pewnej chwili na górę, po książkę, której zapomniała. Jak zwykle, nikt nie potrafi powiedzieć, kiedy.

– Mogła to być każda z nich – powiedziała bezradnie pani Hubbard.

– Jeśliby oprzeć się na ich oświadczeniach, tak jest, ale mamy jeszcze pewien mały dowód.

Wyjął z kieszeni niewielki pakiecik złożonego papieru.

– Co to jest? – zapytała pani Hubbard.

Sharpe uśmiechnął się.

– Dwa włosy. Wyjąłem je spomiędzy palców Patricii Lane...

– Chce pan powiedzieć, że...

Rozległo się pukanie do drzwi.

– Proszę wejść! – zawołał inspektor.

Drzwi się otworzyły i wszedł Akibombo. Uśmiechał się szeroko całą swoją czarną twarzą.

– Jeśli można – odezwał się.

Inspektor powiedział niecierpliwie:
– Tak, panie... hm... o co chodzi?
– Myślę, jeśli można, że muszę złożyć oświadczenie. Pierwszorzędnej wagi dla wyjaśnienia smutnego i tragicznego zajścia.

Rozdział XVIII

– A więc, panie Akibombo – powiedział inspektor Sharpe z rezygnacją – słuchamy. Co ma pan nam do powiedzenia?
Pan Akibombo dostał krzesło. Usiadł twarzą do pozostałych, którzy patrzyli na niego z napiętą uwagą.
– Dziękuję. Zaczynam teraz?
– Tak, bardzo proszę.
– Widzi pan, czasem tak jest, że mam nieprzyjemne sensacje w żołądku.
– Ach, tak.
– Niedobrze mi na żołądku. Tak nazywa to panna Sally. Ale widzi pan, tak naprawdę, mnie nie jest niedobrze. To znaczy, nie wymiotuję.
Inspektor Sharpe opanowywał się z trudem, wysłuchując tych fizjologicznych szczegółów.
– Tak, tak – wtrącił. – Bardzo współczuję, może mi pan wierzyć. Ale chciał nam pan powiedzieć...
– Może to inne jedzenie. Czuję się bardzo pełny tutaj – Akibombo pokazał dokładnie, gdzie – osobiście uważam, za mało mięsa, a za dużo, jak wy to nazywacie, węglowodorów.
– Węglowodanów – poprawił go mechanicznie inspektor – ale nie rozumiem...
– Czasem biorę małą pastylkę, soda z miętą, a czasami proszek na żołądek, nie ma wielkiego znaczenia, co to jest, i wielkie puff! i dużo powietrza wychodzi, o tak – pan Akibombo zademonstrował bardzo realistycznie potężne odbijanie. – Potem – uśmiechnął się błogo – czuję się dużo lepiej, dużo lepiej.
Twarz inspektora przybrała kolor apoplektycznego fioletu. Pani Hubbard odezwała się rozkazująco:
– Wszystko to rozumiemy. Przejdźmy do następnej części.

– Tak. Naturalnie. Więc, jak mówię, zdarza mi się to na początku zeszłego tygodnia, nie pamiętam dokładnie, którego dnia. Bardzo dobry makaron i zjadam dużo, a potem czuję się bardzo źle. Próbuję pracować dla mojego profesora, ale trudno myśleć, jak tu jest pełność – Akibombo ponownie wskazał owo miejsce. – Jest to po kolacji, w salonie, i tylko Elizabeth i ja, więc mówię do niej: „Czy masz sodę albo proszek na żołądek? Skończyłem swój". A ona mówi: „Nie. Ale – mówi ona – widziałam trochę u Patricii w szufladzie, kiedy wkładałam z powrotem chusteczkę, którą od niej pożyczyłam. Przyniosę ci – mówi – Pat nie będzie się gniewać". Więc idzie na górę i wraca z buteleczką sody oczyszczonej. Bardzo mało w środku, na dnie butelki, prawie pusta. Dziękuję jej, idę z tym do łazienki, sypię niemal wszystko, to jest chyba łyżeczkę, do wody, mieszam i piję.

– Łyżeczkę? Łyżeczkę! Mój Boże!

Inspektor przyglądał mu się zafascynowany. Sierżant Cobb pochylił się naprzód z osłupiałą twarzą. Pani Hubbard wykrzyknęła nieoczekiwanie:

– Rasputin!

– Połknął pan łyżeczkę morfiny?

– Naturalnie myślę, że jest to soda.

– Tak, tak, nie rozumiem tylko, że pan tu teraz siedzi.

– A potem byłem chory, ale jak chory! Nie tylko pełność. Ból, silny ból w żołądku.

– Nie mogę pojąć, jakim cudem pan jeszcze żyje!

– Rasputin – wtrąciła pani Hubbard. – Ciągle dawali mu truciznę, w dużych ilościach, a on żył jakby nigdy nic.

Akibombo kontynuował:

– Tak więc następnego dnia, kiedy czuję się lepiej, biorę butelkę z tą odrobiną proszku, która w niej jest, idę do aptekarza i mówię, proszę mi powiedzieć, co ja takiego zażyłem, że tak się źle czułem.

– No i co?

– On mówi, żeby przyjść później, a kiedy przychodzę, mówi: „Nic dziwnego! To nie jest soda. To jest bo-r-ny. Kwas borny. Można używać do oczu, tak, ale jeśli połknie pan pełną łyżeczkę, będzie pan chory".

– Kwas borny – inspektor patrzył na niego oszołomiony. – Ale skąd w tej butelce wziął się kwas borny? Co się stało z morfiną? – jęknął. – Takiego pomieszania z poplątaniem dawno nie miałem!

– A ja myślałem, jeśli można – ciągnął Akibombo.

– Pan myślał – powtórzył Sharpe. – A o czym pan myślał?

– Myślałem o pannie Celii i jak ona umarła, i że ktoś po tym, jak umarła, musiał wejść do jej pokoju zostawić pustą buteleczkę po morfinie i mały kawałek papieru, gdzie pisze, że ona się zabiła...

Akibombo zrobił przerwę i inspektor kiwnął głową.

– Więc ja mówię, kto to mógł zrobić? I myślę sobie, że jeśli jedna z dziewcząt, to łatwe, ale jeśli mężczyzna, nie takie łatwe, ponieważ musiałby iść na dół w naszym domu, a potem w górę drugimi schodami i ktoś mógłby się obudzić i go usłyszeć albo zobaczyć. Myślę więc znów i mówię: przypuśćmy, to ktoś w naszym domu, tam gdzie mężczyźni, ale w pokoju obok pokoju panny Celii, tylko że ona jest w tym drugim domu, rozumiecie? Za jego oknem jest balkon i u niej też jest balkon. Ona na pewno śpi przy otwartym oknie, bo to higienicznie. Więc jeśli jest duży i silny, i wysportowany, to może przeskoczyć.

– Pokój sąsiadujący z pokojem Celii znajduje się w drugim domu – wyjaśniła pani Hubbard. – Zaraz, to pokój Nigela i... i...

– Lena Batesona – dopowiedział inspektor. Dotknął palcem złożonego papieru, który trzymał. – Len Bateson.

– On jest bardzo miły, tak – powiedział ze smutkiem Akibombo. – Dla mnie bardzo przyjemny, ale psychologicznie nie można wiedzieć, co się dzieje pod spodem. Tak to jest, prawda? To nowoczesna teoria. Pan Chandra Lal bardzo zły, kiedy ginie jego kwas borny do oczu, a później, kiedy ja pytam, mówi, że wziął Len Bateson...

– Morfinę zabrano z szuflady Nigela i zamiast niej wsypano kwas borny, a potem Patricia zastąpiła sodą oczyszczoną to, co uważała za morfinę, a co w rzeczywistości było kwasem bornym... Tak... rozumiem...

– Pomogłem wam, tak? – zapytał Akibombo.

– Tak, istotnie, jesteśmy panu bardzo wdzięczni. Zechciałby pan... hm... nie rozgłaszać tego.

– Nie, proszę pana. Będę bardzo ostrożny. – Ukłonił się grzecznie i wyszedł z pokoju.

– Len Bateson – powiedziała pani Hubbard z niepokojem w głosie. – Och, nie! Sharpe popatrzył na nią:

– Pani nie chce, żeby to był Len Bateson?

– Polubiłam tego chłopca. Jest gwałtowny, wiem, ale zawsze wydawał się taki miły.

– Mówiono tak o wielu przestępcach – zauważył Sharpe.

Delikatnie rozwinął złożony papier. Pani Hubbard przywołana jego gestem pochyliła się, żeby zobaczyć.

Na białym papierze leżały dwa krótkie skręcone rude włosy.

– O Boże! – zawołała.

– Tak – powiedział w zamyśleniu Sharpe. – Z mojego doświadczenia wynika, że morderca popełnia przynajmniej jeden błąd.

Rozdział XIX

I

– Ależ to piękne, mój przyjacielu – przemówił Herkules Poirot z podziwem. – Tak przejrzyste, tak wspaniale przejrzyste.

– Mogłoby się wydawać, że mówi pan o zupie – narzekał inspektor. – Może dla pana to bulion, ale mnie wciąż bardziej przypomina gęsty krupnik.

– Już nie. Każda rzecz znajduje się na swoim miejscu.

– Nawet to?

Inspektor zademonstrował dwa rude włosy, które poprzednio pokazał pani Hubbard.

Reakcją Poirota były niemal te same słowa, których użył wcześniej inspektor:

– Ach, tak. Jak to mówią w radio? Jeden celowy błąd.

Oczy obydwu mężczyzn spotkały się.

– Nikt – zauważył Poirot – nie jest tak przebiegły, jak mu się wydaje.

Inspektor Sharpe miał wielką ochotę zapytać: „Nawet Herkules Poirot?", ale się pohamował.

– Co do tamtego, mój przyjacielu, wszystko zgodnie z planem?

– Tak, balon idzie w górę jutro.

– Pan sam tam będzie?

– Nie, muszę być na Hickory Road. Cobb się tym zajmie.

– Życzmy mu szczęścia.

Herkules Poirot uniósł z powagą swój kieliszek, który zawierał likier miętowy.

Inspektor Sharpe sięgnął po szklaneczkę whisky:

– Za nadzieję.

II

– W takich miejscach to umieją wymyślać bajery – powiedział sierżant Cobb.

Wpatrywał się z niechętnym podziwem w witrynę „Pięknej Sabriny". W obramowaniu okna wystawowego, za szybą stanowiącą kosztowny przykład sztuki szklarskiej – „szklista zielona półprzejrzysta fala" – spoczywała w pozycji leżącej Sabrina, odziana w króciutkie, rozkoszne majteczki i otoczona wszelkimi, o jakich tylko można zamarzyć, prześlicznie opakowanymi kosmetykami. Oprócz majteczek miała na sobie mnóstwo egzotycznej sztucznej biżuterii.

Wywiadowca McCrae prychnął z głęboką dezaprobatą:

– Ja to nazywam bluźnierstwem. Piękna Sabrina to przecież Milton*.

– Milton, mój chłopcze, to nie Biblia.

– Nie zaprzeczy pan, że Raj utracony jest o Adamie i Ewie, o rajskim ogrodzie i wszystkich diabłach z piekła. Jeśli to nie jest religia, to co to jest?

Sierżant Cobb nie podjął dyskusji na ten kontrowersyjny temat. Wkroczył śmiało do zakładu, a srogi policjant deptał mu po piętach. W różowym jak koncha wnętrzu „Pięknej Sabriny" sierżant i jego satelita wyglądali równie nie na miejscu jak przysłowiowy słoń w składzie porcelany.

Zachwycające stworzenie w łososiowych różach podpłynęło ku nim, ledwo dotykając stopami ziemi.

Sierżant Cobb powiedział: „Dzień dobry pani" i pokazał swoją legitymację i nakaz rewizji. Śliczne stworzenie wycofało się spłoszo-

---

* W utworze dramatycznym *Comus* Miltona Piękna Sabrina była bognią rzeki Severn.

ne. Pojawiło się stworzenie równie śliczne, acz nieco starsze. Ono z kolei ustąpiło miejsca imponującej i olśniewającej księżnie, której błękitnosiwe włosy i gładkie policzki lekce sobie ważyły wiek i zmarszczki. Badawcze szare oczy nie cofnęły się przed nieruchomym spojrzeniem sierżanta Cobba.

– To zupełnie niespodziewane – oświadczyła surowo księżna. – Proszę tędy.

Powiodła ich przez kwadratowy salon. Pośrodku stał stół, na którym leżały rozrzucone bezładnie pisma i magazyny. W ścianach znajdowały się nisze osłonięte kurtynami, zza których można było dostrzec leżące na wznak kobiety, poddające się zabiegom przyodzianych w różowe szaty kapłanek.

Księżna wprowadziła policjantów do surowego gabinetu, gdzie znajdowało się duże biurko z żaluzjowym zamknięciem i proste krzesła. Żadne lampy nie łagodziły ostrego dziennego światła.

– Nazywam się Lucas i jestem właścicielką tego zakładu – powiedziała. – Moja wspólniczka, panna Hobhouse, jest dzisiaj nieobecna.

– Tak, proszę pani – odparł sierżant Cobb, dla którego nie było to nowiną.

– Ten wasz nakaz rewizji wydaje się dość arbitralnym posunięciem – mówiła pani Lucas. – To jest prywatny gabinet panny Hobhouse. Mam głęboką nadzieję, że nie będzie to konieczne, by panowie... hm... niepokoili nasze klientki w jakikolwiek sposób.

– Nie sądzę, żeby musiała się pani martwić akurat tym – odparł Cobb. – Mało prawdopodobne, żeby to, czego szukamy, znajdowało się w ogólnych pomieszczeniach.

Zaczekał grzecznie, aż ociągając się wyszła. Następnie rozejrzał się po gabinecie Valerie Hobhouse. Wąskie okno wychodziło na tyły budynków innych firm w dzielnicy Mayfair. Ściany były wyłożone szarą boazerią, a na podłodze leżały dwa perskie dywany w dobrym stanie. Sierżant przeniósł wzrok z małego sejfu na duże biurko.

– W sejfie nie – powiedział. – Zbyt oczywiste. W kwadrans później sejf i szuflady biurka ujawniły swoje tajemnice.

– Wygląda, że tracimy czas – mruknął McCrae, z natury posępny i mający wszystko za złe.

– Dopiero zaczynamy – pocieszył go Cobb.

Najpierw opróżnił szuflady i poskładał ich zawartość na kupki. Następnie przystąpił do wyciągnięcia samych szuflad i wywracania ich do góry dnem. Po chwili wydał okrzyk radości:

– Mamy, chłopcze!

Do spodu ostatniej szuflady przyczepiono taśmą klejącą pół tuzina granatowych książeczek ze złoconymi literami.

– Paszporty – powiedział sierżant Cobb. – Wydane przez Sekretarza Stanu Jej Królewskiej Mości do Spraw Zagranicznych. Boże błogosław jego ufne serce.

McCrae pochylił się i patrzył z zainteresowaniem, jak Cobb otwiera paszporty i porównuje fotografie.

– Nie pomyślałoby się, że to ta sama kobieta, nie? – zauważył McCrae.

Paszporty były wystawione na nazwiska pani De Silva, panny Ireny French, pani Olgi Kohn, panny Niny Le Mesurier, pani Gladys Thomas i panny Moiry O'Neele. Fotografie przedstawiały ciemnowłosą młodą kobietę, której raz można było dać dwadzieścia pięć, raz czterdzieści lat.

– To kwestia uczesania, za każdym razem innego – wyjaśniał Cobb. – Styl a la Pompadour, proste włosy, grzywka pazia i tak dalej. Jako Olga Kohn coś zrobiła ze swoim nosem, jako pani Thomas wypchała czymś policzki. Tu są jeszcze dwa obce paszporty: *madame* Mahmoudi, Algierka, Sheila Donovan, Republika Irlandii. Jestem pewien, że ma konta bankowe na wszystkie te różne nazwiska.

– Trochę skomplikowane, nie?

– Musi być skomplikowane, mój chłopcze. Urząd finansowy wiecznie węszy i zadaje niewygodne pytania. Nie tak trudno zrobić pieniądze na przemycie, ale wytłumaczyć się z posiadanych pieniędzy, to dopiero zawracanie głowy. Założę się, że właśnie dlatego nasza dama założyła ów mały klub gier hazardowych na Mayfair. Wygrana w grach hazardowych to chyba jedyna rzecz, której poborca podatkowy nie jest w stanie sprawdzić. Znaczna część łupu jest, moim zdaniem, ukryta w bankach algierskich i francuskich oraz irlandzkich. Cały interes został dokładnie obmyślony na handlowych zasadach. Aż tu raptem pewnego dnia musiała zostawić na wierzchu na Hickory Road jeden z tych podrobionych paszportów i ta biedaczka Celia go zobaczyła.

Rozdział XX

– Panna Hobhouse sprytnie to obmyśliła – mówił inspektor Sharpe. Ton jego głosu był pobłażliwy, niemal ojcowski.

Przekładał paszporty z ręki do ręki, jak ktoś, kto tasuje karty.

– Skomplikowana rzecz, finanse – ciągnął. – Mieliśmy kupę roboty, goniąc od banku do banku. Dobrze zatarła za sobą ślady, to znaczy finansowe ślady. Myślę, że za dwa lata mogłaby zwinąć interes, pojechać za granicę i żyć odtąd szczęśliwie, jak się to mówi, z nieuczciwych zysków. Nie była to wielka impreza: nielegalny przywóz diamentów, szafirów i tym podobne, wywóz kradzionego towaru i narkotyki, można powiedzieć, na boku. Świetna organizacja. Wyjeżdżała pod swoim własnym i pod różnymi innymi nazwiskami, nigdy jednak za często, a jeśli chodzi o sam przemyt, robił to zawsze, nieświadomie, ktoś inny. Miała agentów za granicą, którzy pilnowali zamiany plecaków we właściwym momencie. Tak, sprytnie to sobie obmyśliła. A my musimy podziękować obecnemu tu *monsieur* Poirotowi, że nas na to naprowadził. Miała też doskonały pomysł, żeby namówić biedną małą pannę Austin na odgrywanie roli kleptomanki. Pan niemal od razu na to wpadł, prawda, *monsieur* Poirot?

Poirot uśmiechnął się skromnie, podczas gdy pani Hubbard wpatrywała się w niego z podziwem. Rozmowa miała charakter ściśle prywatny i odbywała się w saloniku pani Hubbard.

– Zgubiła ją chciwość – powiedział Poirot.– Skusił ją piękny brylant w pierścionku Patricii Lane. Zrobiła głupstwo, ponieważ to natychmiast wskazało, że umie się obchodzić z drogimi kamieniami, to wyjęcie brylantu i zastąpienie go cyrkonią. Tak, to nasunęło mi podejrzenie w stosunku do Valerie Hobhouse. Była jednak sprytna, bo kiedy zarzuciłem jej inspirowanie Celii, przyznała się i tłumaczyła dobrym sercem.

– Ale morderstwo! – zawołała pani Hubbard. – Morderstwo z zimną krwią. Nawet teraz trudno mi w to uwierzyć.

Inspektor Sharpe odezwał się posępnie:

– Nie możemy sobie jeszcze pozwolić na oskarżenie jej o zamordowanie Celii Austin. Mamy ją oczywiście w garści, jeśli chodzi o przemyt. Z tym nie ma trudności. Ale oskarżenie o morderstwo nie jest takie proste. Prokurator nie widzi możliwości. Prawda, istnieją motyw i sposobność. Wiedziała prawdopodobnie wszystko na temat zakładu, jak również to, że Nigel jest w posiadaniu morfiny. Brak nam jednak faktycznych dowodów, poza tym w grę wchodzą dwa inne trupy. Owszem, mogłaby spokojnie otruć panią Nicoletis, ale nie ona zabiła Patricię Lane. W gruncie rzeczy jest chyba jedyną osobą, która ma tu niepodważalne alibi. Geronimo jest absolutnie pewny, że wyszła z domu o szóstej. Obstaje przy tym. Nie wiem, czy go przekupiła...

– Nie – Poirot potrząsnął głową. – Nie przekupiła go.

– Mamy też zeznania właściciela drogerii na rogu. Zna ją dobrze i twierdzi, że przyszła pięć po szóstej, kupiła puder i aspirynę, i skorzystała z telefonu. Wyszła z jego sklepu kwadrans po szóstej i wsiadła do taksówki na postoju przed drogerią.

Poirot wyprostował się w krześle.

– Ależ to wspaniałe! – wykrzyknął. – Właśnie o to nam chodzi!

– Co, u licha, ma pan na myśli?

– Mam na myśli, że istotnie zatelefonowała z budki telefonicznej w drogerii.

Inspektor Sharpe popatrzył na niego z miną świadczącą, że jego cierpliwość jest na wyczerpaniu.

– Niech pan posłucha, *monsieur* Poirot. Przyjrzyjmy się znanym faktom. Osiem minut po szóstej Patricia żyje i telefonuje do komisariatu z tego pokoju. Zgadza się pan z tym?

– Nie sądzę, żeby telefonowała z tego pokoju.

– Dobrze, więc z holu na dole.

– I nie z holu.

Inspektor Sharpe westchnął.

– Mam nadzieję, że nie zaprzecza pan, że telefonowano do komisariatu? I nie sądzi pan, że ja i mój sierżant, oraz posterunkowy Nye i Nigel Chapman padliśmy ofiarą zbiorowej halucynacji?

– Z całą pewnością nie. Zatelefonowano do was. Zaryzykowałbym opinię, że z budki telefonicznej w drogerii na rogu.

Inspektorowi Sharpe na chwilę opadła szczęka:

– Uważa pan, że to Valerie Hobhouse telefonowała? Że udawała Patricię Lane, podczas kiedy Patricia Lane w rzeczywistości już nie żyła?

– Tak uważam, owszem.

Inspektor zamilkł na moment, po czym walnął pięścią w stół.

– Nie wierzę. Sam słyszałem ten głos...

– Słyszał pan, tak, głos dziewczyny, zdyszany, zdenerwowany. Ale nie znał pan głosu Patricii Lane tak dobrze, by móc zdecydowanie powiedzieć, że to jej głos.

– Może ja nie. Ale rozmawiał z nią przecież Nigel Chapman. Nie powie mi pan, że Nigel Chapman dałby się oszukać. Nie jest tak łatwo zmienić głos przez telefon ani też naśladować cudzy głos. Nigel Chapman wiedziałby, że to nie mówi Patricia.

– Zgoda – odparł Poirot. – Nigel Chapman by wiedział. Nigel Chapman dobrze wiedział, że to nie Patricia. Któż mógłby wiedzieć lepiej od niego, skoro zabił ją uderzeniem w tył głowy zaledwie parę minut wcześniej.

Upłynęła dłuższa chwila, zanim inspektor odzyskał głos.

– Nigel Chapman? Nigel Chapman? Ależ kiedy znaleźliśmy ją martwą, on płakał jak dziecko.

– Cóż – powiedział Poirot – sądzę, że na swój sposób był przywiązany do tej dziewczyny, bardziej niż do kogokolwiek innego, ale to by jej nie uratowało. Nie, jeżeli przedstawiała zagrożenie dla jego interesów. Od początku Nigel Chapman rysował się jako oczywisty podejrzany. Kto miał morfinę w swoim posiadaniu? Nigel Chapman. Kto ma płytki, ale błyskotliwy intelekt, konieczny do zaplanowania oraz śmiałość konieczną do dokonania oszustwa i morderstwa? Nigel Chapman. Kto, jak wiemy, jest zarówno bezwzględny, jak próżny? Nigel Chapman. Ma wszelkie znamiona zabójcy: arogancką próżność, zawziętość, rosnącą brawurę, która pchała go do zwracania uwagi na siebie w każdy możliwy sposób, jak użycie tego zielonego atramentu w zdumiewającym podwójnie blefie. Wreszcie przeholował, kiedy popełnił głupi celowy błąd i wsunął włosy Lena Batesona między palce Patricii, niepomny faktu, że skoro Patricia została uderzona od tyłu, to w żaden sposób nie mogła złapać napastnika za włosy. Tacy oni są, ci mordercy, dający się ponieść własnemu egoizmowi, podziwowi dla własnej genialności, liczący na swój wdzięk... Bo on ma wdzięk, ten Nigel, ma cały wdzięk rozpieszczonego dziecka, które nigdy nie dorosło, które nigdy nie dorośnie i które dostrzega tylko jedno: siebie samego i swoje zachcianki!

– Ale dlaczego, *monsieur* Poirot? Dlaczego morderstwo? Może Celia Austin, ale dlaczego Patricia Lane?

– Tego – odpowiedział Poirot – musimy się dowiedzieć.

Rozdział XXI

– Dawno cię nie widziałem – mówił stary pan Endicott do Herkulesa Poirota. Przyjrzał mu się bystro. – Bardzo miło z twojej strony, że wpadłeś.

– Bynajmniej nie w odwiedziny – odparł Poirot. – Chcę czegoś.

– Cóż, jak wiesz, jestem ci głęboko zobowiązany. Rozwikłałeś dla mnie tę brudną sprawę Abernethy'ego.

– Szczerze mówiąc, jestem zdziwiony, że cię tu zastałem. Sądziłem, że jesteś już na emeryturze.

Stary prawnik uśmiechnął się ponuro. Jego firma była jedną z najbardziej szanowanych i najdłużej istniejących.

– Przyszedłem dzisiaj specjalnie, żeby zobaczyć się z bardzo dawnym klientem. Wciąż zajmuję się sprawami kilku starych przyjaciół.

– Sir Arthur Stanley był waszym starym przyjacielem i klientem, nieprawdaż?

– Tak. Prowadziliśmy wszystkie jego sprawy od czasów, kiedy był jeszcze zupełnie młodym człowiekiem. Genialnym młodym człowiekiem, Poirot, zupełnie niezwykły umysł.

– O jego śmierci powiadomiono wczoraj w wiadomościach o szóstej, prawda?

– Tak. Pogrzeb jest w piątek. Chorował od dłuższego czasu. Nowotwór złośliwy, o ile się orientuję.

– Lady Stanley zmarła przed paru laty?

– Mniej więcej dwa i pół roku temu.

Bystre oczy spojrzały przenikliwie spod krzaczastych brwi na Poirota.

– Na co umarła?

Prawnik odpowiedział natychmiast:

– Przedawkowanie środka usypiającego. Medinalu, o ile pamiętam.

– Czy było dochodzenie?

– Tak. Werdykt brzmiał, że wzięła za dużą dawkę przez pomyłkę.

– A było tak?

Pan Endicott milczał przez chwilę.

– Nie będę cię obrażał – powiedział. – Nie wątpię, że masz dostateczny powód, żeby pytać. Medinal, jak się orientuję, jest dość niebezpiecznym lekiem, ponieważ istnieje wąska granica między dawką skuteczną a śmiertelną. Jeśli pacjentka jest senna, zapomni, że już zażyła lek i weźmie następną dawkę, cóż, rezultat może być katastrofalny.

Poirot skinął głową.

– Czy ona tak postąpiła?

– Prawdopodobnie. Nie sugerowano samobójstwa ani samobójczych tendencji.

– A nie sugerowano jeszcze czegoś?

Znów poszybowało ku niemu ostre spojrzenie:

– Zeznania składał jej mąż.

– I co powiedział?

– Stwierdził, że czasami po zażyciu wieczornej dawki bywała oszołomiona i prosiła o następną.

– Kłamał?

– Doprawdy, Poirot, co za obraźliwe pytanie. Jak możesz choć przez chwilę przypuszczać, że ja miałbym wiedzieć?

Poirot uśmiechnął się. Wybuch rzekomego gniewu nie wywiódł go w pole.

– Skłonny jestem sądzić, mój przyjacielu, że wiesz bardzo dobrze. Na razie jednak nie będę cię wprowadzał w zakłopotanie pytaniami na ten temat. Natomiast poproszę cię o opinię. Opinię jednego mężczyzny o drugim. Czy Arthur Stanley był tego rodzaju mężczyzną, który mógłby zabić swoją żonę, żeby poślubić inną kobietę?

Pan Endicott podskoczył, jakby go osa użądliła.

– Absurdalne! – zawołał gniewnie. – Zupełnie absurdalne. Poza tym nie było żadnej innej kobiety. Stanley był bardzo przywiązany do żony.

– Tak – powiedział Poirot. – Tak też myślałem. A teraz przejdę do celu mojej wizyty. Twoja firma sporządziła testament Arthura Stanleya. Zapewne jesteś jego wykonawcą.

– Owszem.

– Arthur Stanley miał syna. Syn pokłócił się z ojcem po śmierci matki. Pokłócił się i opuścił dom. Posunął się do tego, że zmienił nazwisko.

– Nie wiedziałem. Jak się nazywa?

– Dojdziemy do tego. Przedtem chciałbym wyrazić pewne przypuszczenie. Jeśli mam rację, może je potwierdzisz. Myślę, że Arthur Stanley zostawił u ciebie zapieczętowany list, który miał zostać otwarty w pewnych okolicznościach albo po jego śmierci.

– Naprawdę, Poirot, w średniowieczu z całą pewnością spaliliby cię na stosie. Skąd ty wiesz te wszystkie rzeczy?

– Zatem mam rację? Myślę, że z listem wiązała się pewna alternatywa: albo miał zostać zniszczony, albo ty miałeś przedsięwziąć pewien tryb postępowania.

Umilkł, a tamten nie odpowiadał.

– *Bon Dieu*! – zawołał z niepokojem Poirot – chyba jeszcze nie zniszczyłeś...

Przerwał z ulgą widząc, jak pan Endicott z wolna potrząsa przecząco głową.

– Nigdy nie działamy w pośpiechu – powiedział prawnik z wyrzutem. – Muszę przeprowadzić pełne dochodzenie, mieć absolutną pewność...

Zrobił pauzę.

– Ta sprawa – dodał surowo – jest ściśle poufna. Nawet dla ciebie, Poirot... – potrząsnął głową.

– A jeśli dowiodę ci, dlaczego powinieneś przemówić?

– To już zależy od ciebie. Nie mogę pojąć, jak możesz wiedzieć cokolwiek, co miałoby związek ze sprawą, o której mówimy.

– Ja nie wiem, tyko muszę zgadywać. Jeśli odgadnę...

– Mało prawdopodobne – mruknął pan Endicott i machnął ręką.

Poirot zaczerpnął głęboko oddechu:

– Więc dobrze. Wyobraź sobie, że otrzymałeś następujące instrukcje. Na wypadek śmierci sir Arthura masz odnaleźć jego syna

Nigela, zorientować się, gdzie mieszka i jak żyje oraz czy jest albo był zamieszany w jakąkolwiek przestępczą działalność.

Tym razem nieprzenikniony prawniczy spokój pana Endicotta uległ poważnemu zachwianiu. Słowo, które wykrzyknął, niewielu miało okazję słyszeć z jego ust.

– Jako że jesteś zdaje się w pełnym posiadaniu faktów – oświadczył – powiem ci wszystko, co chcesz wiedzieć. Domyślam się, że zetknąłeś się z młodym Nigelem z okazji swojej zawodowej działalności. Cóż ten młody nieszczęśnik zbroił?

– Myślę, że historia wygląda następująco. Po opuszczeniu domu zmienił nazwisko, mówiąc wszystkim zainteresowanym, że był to warunek otrzymania spadku. Następnie związał się z pewnymi ludźmi, którzy prowadzili gang przemytniczy: narkotyki i klejnoty. Sądzę, że to jemu gang zawdzięcza swoją ostateczną formę działania, niesłychanie sprytnego, z wykorzystaniem *bona fide* studentów. Całą organizacją kierowało dwoje ludzi: Nigel Chapman, jak zwał się teraz, oraz młoda kobieta nazwiskiem Valerie Hobhouse, która, jak mi się zdaje, wciągnęła go w ten przemytniczy interes. Był to mały prywatny koncern. Pracowali na zasadzie zlecenia, ale zyski były ogromne. Towar musiał mieć małą objętość, ale klejnoty i narkotyki warte tysiące funtów zajmują przecież bardzo niewiele miejsca. Wszystko szło dobrze, dopóki nie nastąpił jeden z tych nieprzewidzianych wypadków. Pewnego dnia zjawił się policjant w pensjonacie studenckim, w którym mieszkali Valerie i Nigel, żeby zasięgnąć informacji w sprawie morderstwa popełnionego niedaleko Cambridge. Myślę, że znasz powód, dla którego ta właśnie wiadomość wprawiła Nigela w panikę. Myślał, że policja jego szuka. Usunął z korytarzy i salonu żarówki, żeby oświetlenie było słabe, a także, w panice, wyniósł na podwórze pewien plecak, tam pociął na kawałki i wetknął je za bojler, ponieważ obawiał się, że podwójne dno może ujawnić ślady narkotyków. Jego panika była zupełnie bezpodstawna – policja przyszła jedynie zapytać o pewnego euroazjatyckiego studenta – ale jedna z dziewcząt zamieszkałych w pensjonacie przypadkiem wyjrzała przez okno i zobaczyła, jak Nigel niszczy plecak. To jeszcze nie równało się natychmiastowemu podpisaniu na nią wyroku śmierci. Zamiast tego obmyślono sprytny plan, nakłaniając ją samą do popełnienia pewnych niemądrych czynów, co postawiło ją w bardzo nieprzyjemnym położeniu. Ale posunęli się w tym za daleko. Wezwano mnie. Poradziłem, żeby zwrócić się do policji. Ta dziewczyna, Celia Austin, straciła głowę i przyznała się. To znaczy przyznała się do tego, co zrobiła sama. Natomiast myślę, że poszła do Nigela i usiłowała go nakłonić, żeby przyznał się do historii z plecakiem, jak również do oblania atramentem notatek koleżanki. Ani Nigel, ani jego pomocnica nie mogli sobie jednak pozwolić na to, by zwrócono uwagę na plecak. Plan całej ich kampanii byłby przekreślony. Na dodatek Celia, dziewczyna, o której mówię, była w posiadaniu jeszcze jednej niebezpiecznej informacji, co ujawniła, jak traf chciał, właśnie wtedy, kiedy jadłem tam kolację. Wiedziała, kim naprawdę jest Nigel.

– Ależ chyba... – pan Endicott zmarszczył brwi.

– Nigel zmienił środowisko. Dawni przyjaciele, których spotykał, mogli wiedzieć, że teraz nazywa się Chapman, nie mieli jednak pojęcia, czym się zajmuje. W pensjonacie nikt się nie orientował, że jego prawdziwe nazwisko brzmi Stanley, aż tu raptem Celia ujawniła, że znała go w obydwu wcieleniach. Wiedziała też, że Valerie Hobhouse przynajmniej raz wyjechała za granicę z fałszywym paszportem. Za dużo wiedziała. Następnego wieczoru wyszła gdzieś na umówione z Nigelem spotkanie. Postawił jej drinka czy kawę, w której była morfina. Zmarła we śnie, a wszystko zostało tak zaaranżowane, że miało wskazywać na samobójstwo.

Pan Endicott poruszył się. Na jego twarzy pojawił się wyraz głębokiego niepokoju. Mruknął coś pod nosem.

– Ale to nie koniec – kontynuował Poirot. – Kobieta, która była właścicielką sieci domów i klubów studenckich, zmarła wkrótce potem w podejrzanych okolicznościach. Wreszcie też nastąpiła ostatnia, najbardziej okrutna i bezlitosna zbrodnia. Patricia Lane, dziewczyna, która była bardzo oddana Nigelowi i do której on sam był naprawdę przywiązany, bezwiednie wściubiła nos w jego sprawy i w dodatku nalegała, żeby pogodził się ze swoim ojcem, zanim ten umrze. Nigel opowiedział jej szereg kłamstw o ojcu, rozumiał jednak, że upór może skłonić Patricię do napisania drugiego listu do sir Stanleya, po tym jak pierwszy został zniszczony. Myślę, mój przyjacielu, że możesz mi powiedzieć, dlaczego, z punktu widzenia Nigela, miałoby to być katastrofą.

Pan Endicott wstał. Przeszedł przez pokój do sejfu, otworzył go i wrócił z długą kopertą w ręce. Z tyłu była złamana czerwona pieczęć. Prawnik wyciągnął dwa listy i położył je przed Poirotem.

Drogi Endicott,

otworzysz to po mojej śmierci. Chcę, żebyś odnalazł mojego syna Nigela i dowiedział się, czy jest winien jakiejkolwiek przestępczej działalności.

Fakty, o których chcę ci powiedzieć, są znane tylko mnie. Charakter Nigela budził zawsze głęboką troskę. Dwa razy syn sfałszował mój podpis na czeku. Za każdym razem uznałem podpis za swój, ale ostrzegłem go, że więcej tego nie zrobię. Za trzecim razem sfałszował podpis swojej matki. Oskarżyła go o to. Błagał ją, żeby zachowała milczenie. Odmówiła. Oboje nie raz rozmawialiśmy na jego temat i żona nie pozostawiła mu wątpliwości co do tego, że ma zamiar mi powiedzieć o sfałszowaniu czeku. Wtedy właśnie, podając jej wieczorem mieszankę nasenną, przedawkował. Zanim jednak środek podziałał, żona przyszła do mojego pokoju i powiedziała mi wszystko o całej sprawie. Kiedy następnego ranka znaleziono ją martwą, wiedziałem, kto to zrobił.

Oskarżyłem Nigela i zagroziłem mu, że zamierzam wszystkie fakty ujawnić policji. Prosił mnie i błagał, żebym tego nie robił. Jak byś postąpił, Endicott? Nie żywię żadnych złudzeń co do mojego syna. Wiem, że jest jednym z tych niebezpiecznych wyrzutków społeczeństwa, pozbawionych sumienia i litości. Nie miałem najmniejszego powodu go ochraniać. Ale myśl o mojej ukochanej żonie zachwiała moją decyzją. Pomyślałem, że znam odpowiedź – ona chciałaby ocalić swego syna przed szubienicą. Wzdragałaby się, tak jak i ja się wzdragałem, przed kompromitowaniem naszego nazwiska. Ale był też wzgląd inny. Uważam stanowczo, że kto raz zabił, jest zawsze zdolny do zabójstwa. Mogły być inne ofiary w przyszłości. Zawarłem z synem układ. Nie wiem, czy postąpiłem dobrze, czy źle. Miał zostawić mi na piśmie wyznanie swojej zbrodni, opuścić mój dom i nigdy doń nie wracać, stworzyć sobie nowe życie. Dawałem mu szansę. Pieniądze należące do jego matki automatycznie przechodzi-

ły na niego. Otrzymał staranne wykształcenie. Miał wszelkie dane, by wyjść na ludzi.

Ale gdyby został oskarżony o jakąkolwiek przestępczą działalność, wyznanie, które mi zostawił, zostałoby przekazane policji. Zabezpieczyłem się, wyjaśniając, że moja własna śmierć nie będzie dla niego rozwiązaniem problemu.

Jesteś moim najstarszym przyjacielem. Wkładam ciężar na twoje barki, ale proszę cię w imieniu zmarłej kobiety, która również się z tobą przyjaźniła, żebyś znalazł Nigela. Jeśli jego karta jest czysta, zniszcz ten list i załączone wyznanie. Jeżeli nie – sprawiedliwość musi się dokonać.

Twój oddany przyjaciel
Arthur Stanley

– Ach! – odetchnął głęboko Poirot.

Rozwinął załącznik.

Niniejszym wyznaję, że zabiłem moją matkę, podając jej za dużą dawkę medinalu 18 listopada 195-
Nigel Stanley

Rozdział XXII

– Rozumie pani dobrze swoje położenie, panno Hobhouse. Ostrzegłem już panią...

Valerie Hobhouse przerwała mu:

– Wiem, co robię. Ostrzegł mnie pan, że wszystko, co powiem, będzie wykorzystane w sądzie. Jestem na to przygotowana. Zatrzymaliście mnie pod zarzutem przemytu. Nie mam cienia nadziei... oznacza to długoletni wyrok więzienia. Tamto drugie oznacza, że będę oskarżona o współudział w morderstwie.

– To, że pani jest gotowa złożyć oświadczenie, może pani pomóc, nie mogę jednak niczego obiecywać ani do niczego pani nakłaniać.

– Nie wiem, czy mi na tym zależy. Może lepiej skończyć od razu niż gnić latami w więzieniu. Chcę złożyć oświadczenie. Mogę być, jak wy to nazywacie, współsprawczynią, ale nie jestem morderczynią. Nigdy ani nie zamierzałam, ani nie chciałam zabijać. Nie jestem taka głupia. Chcę natomiast, żeby oskarżenie przeciwko Nigelowi nie pozostawiało wątpliwości... Celia wiedziała o wiele za dużo, ale ja bym sobie z tym jakoś poradziła. Nigel nie dał mi czasu. Wyciągnął ją na spotkanie, powiedział jej, że przyzna się do zniszczenia plecaka i tej historii z atramentem, a następnie wsypał jej morfinę do filiżanki z kawą. Wcześniej znalazł jej list do pani Hubbard i oderwał od niego pożyteczny „samobójczy" fragment. Położył ów kawałek papieru oraz pustą fiolkę po morfinie (udał uprzednio, że ją wyrzuca) przy jej łóżku. Teraz widzę, że brał pod uwagę morderstwo już od pewnego czasu. Potem przyszedł do mnie i powiedział, co zrobił. Dla mojego własnego dobra musiałam z nim trzymać. Tak samo musiała wyglądać sprawa z panią Nick. Odkrył, że pije, że nie będzie można na niej polegać... Udało mu się spotkać ją gdzieś, kiedy wracała do domu, i wsypać truciznę do jej kieliszka. Wyparł się tego przede mną, ale wiem, że tak właśnie zrobił. Następna była Pat. Przyszedł do mojego pokoju i powiedział mi, co się stało. Podyktował mi, co mam robić, żebyśmy oboje, on i ja, mieli niepodważalne alibi. Wtedy już byłam w sieci, nie miałam wyjścia... Przypuszczam, że gdybyście mnie nie złapali, wyjechałabym gdzieś za granicę i rozpoczęła nowe życie... Ale złapaliście mnie... A teraz chodzi mi tylko o jedno. O to, żeby tego uśmiechniętego, zimnego drania na pewno powieszono.

Inspektor Sharpe głęboko wciągnął powietrze. Wszystko ułożyło się znakomicie, w śledztwie dopisało mu niewiarygodne szczęście, ale czegoś nie pojmował.

Dyżurny policjant polizał ołówek.

– Nie jestem pewien, czy dokładnie rozumiem – zaczął Sharpe.

Przerwała mu z miejsca.

– Nie musi pan rozumieć. Mam swoje powody. Herkules Poirot odezwał się bardzo łagodnie:

– Pani Nicoletis? – zapytał.

Usłyszał, że gwałtownie zaczerpnęła oddechu.

– Ona była pani matką, prawda?

– Tak – odpowiedziała Valerie Hobhouse. – Była moją matką...

Rozdział XXIII

– Nie rozumiem – żałośnie oświadczył Akibombo.

Przenosił z niepokojem wzrok z jednej rudej głowy na drugą. Sally Finch i Len Bateson prowadzili rozmowę, z której rozumieniem Akibombo miał poważne kłopoty.

– Czy myślisz – pytała Sally – że Nigel chciał, żeby podejrzewali mnie czy ciebie?

– Jedno i drugie, jak sądzę – odpowiedział Len. – Wydaje mi się, że włosy wziął z mojej szczotki.

– Ja naprawdę nie rozumiem, jeśli można – wtrącił Akibombo. – Czy to pan Nigel przeskoczył z balkonu na balkon?

– Nigel potrafi skakać jak kot. Ja bym nie przeskoczył takiej przestrzeni. Jestem o wiele za ciężki.

– Chciałbym przeprosić z głębi serca i jak najpokorniej za całkowicie nieuzasadnione podejrzenia.

– W porządku – powiedział Len.

– Prawdę mówiąc, ty bardzo pomogłeś – zwróciła się do Akibombo Sally. – To twoje myślenie... o kwasie bornym.

Akibombo rozpromienił się.

– Należało od początku zdawać sobie sprawę – mówił Len – że Nigel jest typem kompletnie nieprzystosowanym i...

– Och, na miłość boską, jak bym słyszała Colina. Mówiąc szczerze, na widok Nigela zawsze przechodziły mnie ciarki i teraz wreszcie wiem, dlaczego. Czy zdajesz sobie sprawę, Len, że gdyby biedny sir Arthur Stanley nie był taki sentymentalny i od razu oddał Nigela w ręce policji, trzy inne osoby żyłyby dzisiaj? To poważna refleksja.

– Trzeba jednak zrozumieć, co odczuwał...

– Jeśli można, panno Sally...

– Słucham, Akibombo?

– Jeśli pani spotka mojego profesora na przyjęciu uniwersyteckim dziś wieczorem, powie mu pani, proszę, że ja potrafię dobrze myśleć? Mój profesor często mówi, że ja mam mętny proces myślowy.

– Powiem mu – obiecała Sally.

Len Bateson wyglądał jak obraz nieszczęścia.

– Za tydzień będziesz z powrotem w Ameryce – powiedział.

Na chwilę zapadła cisza.

– Wrócę – odparła Sally. – Albo ty możesz przyjechać i zrobić tam swój podyplomowy kurs.

– Na co to się zda?

– Akibombo – odezwała się Sally – czy zechciałbyś pewnego dnia zostać drużbą na weselu?

– Co to jest drużba, jeśli można?

– Pan młody, na przykład Len, oddaje ci pod opiekę obrączkę, idziecie do kościoła, bardzo elegancko ubrani, w odpowiednim momencie on cię prosi o obrączkę, ty mu dajesz, a on mi ją wkłada na palec, organy grają marsza weselnego i wszyscy płaczą. I tyle.

– Chce pani powiedzieć, że pani i pan Len się ożenicie?

– Dokładnie.

– Sally!

– Chyba, oczywiście, że Len nie ma ochoty.

– Sally! Ale ty nie wiesz... o moim ojcu...

– Oczywiście, że wiem. I co z tego. Twój ojciec jest chory. W porządku, niejeden ma ojca z umysłowymi odchyleniami.

– To nie jest dziedziczny typ manii. Mogę cię o tym zapewnić, Sally. Gdybyś tylko wiedziała, jak okropnie nieszczęśliwy byłem z twego powodu.

– Miałam drobne podejrzenia.

– W Afryce – zaczął Akibombo – w dawnych czasach, zanim przyszła era atomowa i myśl naukowa, rytuały małżeńskie były bardzo ciekawe i interesujące. Powiem wam...

– Lepiej nie – przerwała mu Sally. – Coś mi się wydaje, że mogą wywołać rumieniec na obliczu tak Lena, jak moim, a przy rudych włosach rumieniec jest bardzo widoczny...

II

Herkules Poirot podpisał ostatni z listów, które położyła przed nim panna Lemon.

– *Tres bien* – oświadczył z powagą. – Ani jednego błędu.

Panna Lemon sprawiała wrażenie lekko urażonej.

– Mam nadzieję, że nieczęsto robię błędy – odparła.

– Nieczęsto. Ale się zdarzało. *À propos*, jak czuje się pani siostra?

– Myśli o wycieczce statkiem. Do północnych stolic.

– Aha – powiedział Herkules Poirot.

Zastanawiał się, czy – być może – na statku... Nie żeby sam miał ochotę wybrać się w podróż morską. Za żadne skarby...

Zegar za nim wybił pierwszą.

Zegar pierwszą bije,
Mysz w dziurze się kryje.
Hickory dickory dock

Entliczek, pentliczek,
Czerwony stoliczek –

– wyrecytował detektyw.

– Słucham, *monsieur* Poirot?

– Nic, nic – powiedział Herkules Poirot.

Tytuł oryginału
Hickory dickory dock

Projekt znaku serii
Ludwik Żelaźniewicz

Redakcja
Elżbieta Kaczorowska

Redakcja techniczna
Ryszard Puchała

Wydawnictwo Dolnośląskie Sp. z o.o.
ul. Podwale 62, 50-010 Wrocław

Wrocław 2006

Pełna oferta Wydawnictwa Dolnośląskiego jest dostępna
w księgarni internetowej:
www.najlepszyprezent.pl
Dział Handlowy: tel. (071) 785 90 54;
Promocja: (071) 785 90 50
www.wd.wroc.pl

ISBN 83-7384-202-0
ISBN 83-7384-202-1